旧約聖書の様式史的研究

G・フォン・ラート著
荒　井　章　三　訳

日本基督教団出版局

This is an abridged edition of

GESAMMELTE STUDIEN ZUM ALTEN TESTAMENT

by Gerhard von Rad
tr. by Shozo Arai

Chr. Kaiser Verlag, München

The Board of Publications
The United Church of Christ in Japan
Tokyo, Japan

目次

六書の様式史的問題

（一九三八年）

問題提起

六書の神学的研究が今日危機に面しているなどと考える人はいないであろう。むしろ多くの人がある憂慮をもって認める一つの膠着状態に突入してしまったと主張した方がより適切かも知れない。さて今は何をなすべきであろうか。資料文書の分析に関しては実際行きづまってしまったという徴候が存在している。事実何人かの人々はあまりにも遠くまで来すぎたと考えている。個個の素材の研究に関していえば――その文学的な形態に関しても、また内容的な本質に関しても――なすべき事はおよそ全てやってしまったとはもちろん一様にはいえないにしても、しかし六書に関しては研究疲れが、特に若い世代にあることを誇張なしにいうことができる程沈滞している。その理由を見出すのは困難でない。この二つの前述の研究方法は――その使用方法も多様であったが――テキストの現在の最終形態からだんだん離れる結果となってしまったのである。たしかにいたる所に見られる分解過程、だが実に大規模な分解過程が働きはじめて、しかもそれは元に戻しえないということが無自覚的、自覚的に認識され、多くの人々は今日活動力を失う結果となってしまったのである。事実進んできた道の必要性、重要性を十分承認する者もまたこの強力な分解作用を――それは六書研究を熟させもしたのではあるが――無視することはできないのである。六書の最終形態は、特別な討論の場合何の役にも立たない出発点であり、それを詳論することはできるだけ早くすませて、その背後にひそむ問題に到達するための出発点でしかなくなっている。

この小論はこのいささか危険な状況から、六書研究における注目すべき欠陥、いまだかつて明らかにされたことのない問題を考慮することによって、脱出しようとするものである。(1) この問題解決によって我々は少しばかり死点を越えることができるであろう。それをここで手短に公式化しよう。

六書の内容を全くの概略ではあるが描いてみるならばこうである。世界を創造した神はイスラエルの父祖たちを召し、彼らにカナンの地を約束した。イスラエルがエジプトで数多い民となった時、モーセは神の不思議な力と恵みのしるしによって民を解放し、長い荒野放浪ののち約束の地を与えたのである。六書の内容の輪郭を描いているこれらの事項は、資料の意味するところでは、明らかに信仰箇条である。これらのうちには多分に歴史的に「信じうるもの」として解釈することのできるものもあるであろう。しかし要するに六書は、歴史的出来事が述べられているとしても、もっぱらイスラエルの信仰から語られているのである。世界の創造ないしはアブラハムの召命からヨシュアによる土地取得の完成に至るまでの叙述は救済史なのである。人はそれを、救済史の主要事の要約である信仰告白と名付けることもできるであろう。この信仰告白をその外的な形態にしたがって判断するなら、即ち信仰告白においては全く性質の異なった素材が比較的単純な基本思想となって、途方もなく集成整理されていることを考えるならば、これが一つの最終段階、最終的なもの、最後の可能性を表わしていることが理解されるであろう。この単純な基本思想は全てを包括していて奇異なものになっているが、これは決して最初からこのように構想されたものではなく、まして古典的な均衡を備え成熟したものでもない。しかしおそらくそれ以前の段階があったにちがいないけれども、前述したようにこれ以上さかのぼって読みとることのできない、ぎりぎりの限界にある最後のものなのである。いいかえれば、六書もまた一つの類型として理解されるし、理解されねばならないということである。したがってその類型については、その起源、「生活の座」、現在我々の眼前にある形にまで伸張拡大したその発展状況等をかなり知ることができるということが仮定されるであろう。それゆえ我々の研究は、多くの望ましい支点が欠けているためにこの類型の生成過程のうちのほんのわずかのことしか示すことができないけれども、静的な（stabilen）要素と動的な（variablen）要素とを念頭に入れねばならないであろう。静的なものとは歴史的信仰告白そのものである。これは最古の時代から存在し、その基本的な部分は何の変化も受けていない。動的な要素とはその外的形態であり、しかもごく外面的なものだけに限らず、特に伝統的に存在してきたものを内的神学的に貫徹加工する基準なのである。この問題を解決することによって、この研究を有機的神学的に進展させるとき——霊的・神学的な力によってではなく——、我々は六書の最終・最後の形態へと遡行することができるであろう。

一　小・歴史的信仰告白(クレドー)

申命記二六章には祭儀における祈り方が二箇所述べられているが、これは今日では普通教会礼拝式文と考えられるものである。そしてここには様式と内容から見れば明らかに実際に行なわれていた二つの祭儀行為が見出されるのであって、この事実に比べれば、申命記記者の修正の問題、即ち我々はただ後の時代になって形式的に整えられたもののみを手にしているというような(全く不必要な)仮定はほとんど重要なことではないのである。(2) まず、聖所に初物を奉納する時に語られる最初の祈りについて検討しよう。

「わたしの父は、滅びゆく一アラム人でありましたが、わずかの人を連れてエジプトへくだって行って、その所に寄留し、ついにそこで大きく、強い、数多い国民になりました。ところがエジプト人はわれわれを虐げ、また悩まして、つらい労役を負わせましたが、われわれの父たちの神ヤハウェに叫んだので、ヤハウェはわれわれの声を聞き、われわれの悩みと、骨折りと、虐げとを顧み、ヤハウェは強い手と、伸べた腕と、大いなる恐るべき事と、しるしと、不思議とをもって、われわれをエジプトから導き出し、われわれをこの所に連れて来て、乳と蜜の流れるこの地をわれわれに賜わりました」。（申命記二六・五b―九）

特に後半には申命記的な用語があることを見誤ることはできないのであるが、これが一つの祭式の定式であり、実際このように祈られていたのであって、決して申命記記者の時代になって初めてできたものでないことは全く疑う余地はない。そしてこの祈りが、様式内容から見て、現在これがはめ込まれている他の文脈よりもずっと古いということは、上に述べたことを全く擁護するものなのである。(3) 申命記的な修正を排除し、根源的な様式を実験的に抽出することは決して大胆な事柄ではないであろう。しかしむしろより重要なのは現在この祈りと初物の奉献とが結びついているけれども、これがもともと結びついていたのか、後から結びついたことなのかを問うことであると思われる。イルクは後者を主張しているが、(4) この考察はまだ基礎づけられてはいない。なぜなら収穫感謝と、奴隷生活からの解放ならびに土地取得に対する感謝との並置むしろ相互連関はまさに初期イスラエルの信仰論理にとっては最も関係のあるものであったからである。

内容的にはこの祈りは救済史における主要な出来事を非常に短く要約したものから成り立っている。即ち族長時代におけるイスラエルの起源の貧弱さ、エジプトにおける労役、ヤハウェにある解放と約束の地への導入である。この全体を感謝（Thodah）、むしろ信仰共同体をそのようなものとして構成した救済の事実の列挙と呼んでもよいであろう。語り手は全ての個人的な関心事を断念し、自分自身を全く共同体の中に組み込んでしまい、まさに自分自身を共同体と同一視している。彼はこの瞬間共同体の口となっている。即ち彼は一つの信条を語っているのである。申命記二六章五節以下はこれらに必要な全ての基準と特質とを備えた信仰告白である。しかも察するに我々が知りうる限りでは最も古いものである。そして個人が一つの短い形式の救済史を信条という形で朗誦した場が祭儀の中に存在したにちがいない。この慣習の内的な前提を明らかにすることは興味あることである。このような信仰告白はまさに祭儀の枠内にあっては決して独立したものではなく、幾分付属的なものであった。即ちそれはまた全ての祭儀を貫き通している一つの事柄を後に「言葉に把えたもの」であった。言いかえてみるならば、既にかなり以前の時代にこのような信仰告白の習慣が祭儀の中にあったとするならば、それは既にそれ以前に、救済史という規範のようなものになった様式が存在していたことを前提とするのであって、したがってその方がなおいっそう古いものでなければならないということになる。祭儀におけるこのような救済の出来事の要約は歴史的な出来事を自由に想起しているのではなくして、信仰が表象される場合に制約となった規範的な様式をまさに反映しているものである。

これに加えてただ申命記的な修正においてのみ保存されている、それ自体でも非常に不十分な信条をさらに詳しく探究することは不合理に見えるでもあろう。しかし後の吟味を考慮に入れて、我々は常にシナイの出来事とヤハウェ顕現とがここには全く欠けているということを明らかにしておきたいと思うのである。

更に申命記の他の箇所、即ち申命記六章二〇―二四節には全く同様な信条の形態をした救済の事実の総括が見出される。これは類型的には申命記二六章と同じものであると判断しなければならない。この小さな章句は二〇―二四節の背後にある大きな奨励的な文脈の中に完全に埋め込まれているが、しかし形式的には説教風の文体の中では何か独立しているようでもある。しかもその導入部から、多少それ以前の時代に制定されていたものの引用であることがわかるのである。

「あなたの子があなたに問う時には……こう答えねばならない『われわれはエジプトでパロの奴隷であったが、ヤハウェは強い手でもって、われわれをエジプトから導き出された。ヤハウェはわれわれの目の前で、大きな恐ろしいしるしと不思議とをエジプトとパロとその全家とに示され、われわれをそこから導き出し、かつてわれわれの先祖に誓われた地に入らせ、それをわれわれに賜わった。そしてヤハウェはこのすべての定めを行なえとわれわれに命じられた……』」。

(申命記六・二〇―二四)

救済史の要約は申命記二六章五節以下の場合と全く同様である。ただここでもまたシナイの出来事が欠けているが、申命記二六章の場合よりも奇異な感じを与えている。というのは、信仰告白(クレド)という短い様式で答えることになっている問いそのものが、まさに神の誡めと定めとが明らかに目標とされて、提起されているからである。この様式は明らかに定型化してしまっていて、この場合に最も重要なことさえ入り込む余地がなかったようである。申命記記者たちは、この様式が非常に神聖な意味を持っていることをはっきりと知っており、そしてこれを宗教的問答に用いたと思われるのである。

ここで今一つのテキストに目を向けよう。これはつまり他の資料に由来するものであるが、実際には今述べたところのものと全く同様に考えねばならないものである。即ちシケムにおける集会でのヨシュアの演説がそれである。我々は後になってさらに詳細にこの物語について語らねばならないであろう。しかし今ここで関係するのはただヨシュア記二四章二b―一三節の歴史に関する付説である。

「あなたがたの父たちは、昔ユーフラテス河の向こうに住み、他の神々に仕えていたが、わたしはあなたがたの父アブラハムを川の向こうから連れ出して、カナンの全地を導き通り、その子孫を増した。わたしは彼にイサクを与え、イサクにヤコブとエサウを与え、エサウにはセイルの山地を与えたが、ヤコブとその子孫たちはエジプトに下った。わたしはモーセとアロンをつかわし、またエジプトのうちに不思議を行なって、これに災いを下し、その後あなたたちを導き出した。わたしはあなたたちの父たちをエジプトから導き出し、あなたたちは海に来た。あなたたちは、わたしがエジプト人にしたことを目で見た。そして長い間荒野に住んでいた。わたしはまたヨルダンの向こう側に住んでいたアモリ人の地にあなたたちを導き入れた。彼らはあなたたちと戦ったので、わたしは彼らをあなたたちの手に渡して、彼らの地を獲させ、ついでモアブ王のチッポルの子バラクが立って、イスラエルに敵し、人をつかわし、ベオルの子バラムを招き、あなたたちを呪わせようとしたが、わたしがバラムに聞こうとしなかったので、彼はかえってあなたたちを祝福した。こうしてわたしは彼の手からあなたたちを救い出した。そしてあなたたちはヨルダンを渡ってエリコに来た。エリコの人々はあなたたちと戦ったが、わたしは彼らをあなたたちの手に渡した。わたしはあなたたちの前にくまばちを送って、あのアモリ人の十二人の王をあなたたちの前から追い払った。そしてわたしは、あなたたちが自分で労しなかった地を、あなたたちに与え、あなたたちが建てなかった町をあなたたちに与えた。そしてあなたたちがいまその所に住んでいる。あなたたちはまた自分で作らなかったぶどう畑と、オリーブ畑の実を食べている」。

ここでもまたテキストにはあらゆる種類の美辞と付加が混入している。それらの出所は六書の歴史叙述から直ちに認識しうるものである。しかしながらこの演説が類型的には決して特殊な文学的創作ではないこと、特別な出来事を叙述するとき即座にこの演説を構成して挿入したものではないことは疑いのないところである。ここでもまた根本においては固定した様式が用いられており、自由さが発揮されているところはほんのわずかにすぎない。根本的には、ここにおいても前述したところと同様、救済史の主要な出来事は族長時代から土地取得にいたるまでである。小さな付加部分——紅海での奇跡についての詳細部分、バラムとの出会い等——があるにしても、それはシナイの出来事が完全に無視されていることを考え合わせるならば、奇異な感じを与えるものである。なぜならヤハウェの顕現と契約締結は常に新時代を画するような意義をもつものであって、もしそれが言及されたとすれば、実際はバラム物語やくまばちの話と並べて列挙されらるものであったであろうからである。しかし根本の図式はシナイ啓示を知ってはいなかったようである。したがってこの類型は、小さな部分を自由に付け加えることはできたが、シナイ伝承を取り上げるという根本にかかわるような修正を行なう自由はなかったという顕著な事実が明らかになってくるのである。

ただ短く語られているテキストから導き出される結論が仮のものだとしても、特にそのテキストが今おかれている文脈をも考慮するならば、まさにその通りだということができる。この三箇所のおのおのの場合において問題となっているのは、歴史的事柄をついでのこととして想起することではなくして、むしろ荘重な集中的な様式でなされる朗誦であり、荘重な意義をもつ場、即ち祭儀行為という枠内で述べられたものなのである。内容的にはこれら三つのテキストは全て明らかに一つの図式にしたがって創られている。そのことは特にシナイ物語が全く欠如しているということからも明らかになった。それらは正典のような、個々においては既に固定した救済史像にしたがっている。救済史の主要事の荘厳な朗誦が、直接的な信仰告白であれ、共同体に向かっての奨励風の演説であれ、古代イスラエルの祭儀では確固とした要素を形成していたというのはさして大胆な結論ではないであろう。

救済の出来事を信仰告白風に朗誦するというこの類型と、現在の六書とが、最初見たところでは非常にかけ離れているように見えるだろうが、同時にまたそこここに存在する思想上の相似性に驚くことであろう。根本的にはその思考方法は全く同一の非常に簡単なものであって、ヨシュア記二四章二―一三節を最小の形態をした六書とみなしてもよいくらいである。その過程の最初と最終とを概観するならば、旧約の信仰生活のもつ驚くべき慣性について何か予感するであろう。なぜなら、付加がいかに多くとも、またその修正がいかに強力であっても、それはずっと確固とした存在であったし、信仰によって根本的なものとして把えられていたものであって、六書がその最終的な段階においてさえ越えることのできないものであった。この祭儀的な朗誦から今日の六書までの経過を少なくともその主要面において叙述するのが、以下の我々の課題なのである。

二　祭儀詩における信仰告白（クレドー）の自由な変奏

六書の本質と構成とを問う主たる目標に赴く前に、今述べた類型について多少詳細に追求するのが良いと思われる。[5]

サムエルが民によってその責任を解除されたのち、ミズパにおいて彼が民に向かって行なった譴責演説（サムエル記上一二章）の中に、神と共にあったイスラエル史の出来事が列挙されている。「ヤコブがエジプトに行った時、おまえたちはヤハウェに呼ばわったので、ヤハウェはモーセとアロンとを遣わされた。そこで彼らはおまえたちの先祖をエジプトから導き出して、この所に住まわせた」（サムエル記上一二・八）（これに士師記の申命記的歴史観察の短い叙述が続いている）。

本筋から離れて歴史のことがサムエルの口を借りて語られているが、これは他のものと同様にサムエルの演説の一要素であるばかりでなく、荘厳な導入部（七節）によって何か特別なものとして全体に比して引き立っている点は注目すべきである。ここでは聞き手にいつも思い起こされるような確証されたもの、価値あるものが明らかに問題とされている。しかし話が土地取得まで止まらずそのあとにも継続していることは、ここでは確かに類型に対する自由さを示している。こうした継続進展の先駆はもちろん申命記的な士師記の中に既に見られることである。この演説の著者はサムエルが聴衆に向かって行なったこの演説が完全な現実性をもつことを主張するためには、この著作によるだけでよかったのである。

詩篇一三六篇の連禱（リタニー）は、祭儀においてヤハウェの救いの業の総括が果たした役割についての我我の主張を今一度確認するものである。

「ヤハウェに感謝せよ、ヤハウェは恵み深い。
もろもろの神々の神に感謝せよ。
もろもろの主の主に感謝せよ。
彼はただひとり大いなるくすしき御業をなし、
知恵をもって天を創り、
地を水の上に敷かれた。
大いなる光を創り、
昼を司るために日を、
夜を司るために月を創られた、
エジプトの初子を撃ち、
イスラエルをエジプト人の中より
強い手と伸ばした腕とをもって導き出された。
紅海を二つに分かち、
イスラエルにその中を通らせ、

パロを紅海で撃ち破られた。
その民を導いて荒野を通らせ、
大いなる王たちを撃ち、
名ある王たちを殺された。
アモリ人の王シホンを、
バシャン王オグを殺された。
彼らの地を嗣業として
その僕イスラエルの嗣業として与えられた。
われらの卑しかった日にわれらを御心にとめ、
われらのあだの手よりわれらを助け出された。
全ての肉なるものに食物を与えられる。
天の神に感謝せよ」。

（詩篇一三六・一—二六）

ここでは救済史が族長やエジプト時代からではなく、創造から始められている。このことは今までになかった新しい事柄であるが、この点に関しては後に見るであろう。歴史が土地取得をこえてそれ以後の時代にまでたどられているけれども、具体的な年代は全然なく、一般的な輪郭の中で述べられているだけである。それゆえ今まで慣習的に用いられてきた図式からはなれてしまったがために、詩人が困難に陥ってしまったことは明瞭である。このことを留意することは非常に教えられるところが多い。なぜなら著者は、正典的な救済史を総括しうる部分については、確実であると感じてはいるが、時間的にはずっと身近な出来事については具体的なことは何もいうことができなかったからである。ここにおいてもシナイ顕現についての叙述が欠如している。

もう一つの例をこれに付け加えよう。出エジプト記一五章の紅海の歌であるが、最近H・シュミットはこれを祈願祭に用いられた祭儀的な連禱であるとしたものである。[6] 類型から見れば信仰告白の根源的な様式からはかなりかけ離れたものであるが、一見しただけで、この詩の中には自由な展開があるとはいえ、出エジプト―土地取得伝承の全ての要素が含まれていることがすぐわかるであろう。我々は特に救済史的な出来事を全体からとり出してみよう。――文学上はもちろん不可能な仕事であるが、この詩が遡って述べている個々の伝承要素を取り出すことができるであろう。

「(ヤハウェは)パロの戦車とその軍勢とを海に投げ込まれた。その優れた騎士たちは紅海に沈んだ。大水は彼らをおおい、彼らは石のように深みにおちた……あなたの鼻の息によって水は積み重なり、流れは堤となって立ち、大水は海のさなかで凝り固った。敵は言った『わたしは追って行って、追いつき、分捕物を分かち取ろう。わたしの欲望を彼らによって満たそう、剣を抜こう、わたしの手は彼らを滅ぼす』。あなたが息を吹かれると海は彼らをおおい……右の手を伸べられると地は彼らをのんだ。あがなわれた民を恵みをもって導き、御力をもってあなたの聖なる地に伴われた。もろもろの民は聞いて震え、ペリシテの住民は苦しみにおそわれた。エドムの族長たちは驚き、モアブの首長たちはわななき、カナンの住民はみな溶け去った。おそれとおののきとは彼らにのぞみ、御業の大いなるゆえに彼らは石のように黙した。ヤハウェよ、このようにしてあなたの民は入って来ました。あなたの買いとられた民は入って来ました」。

（出エジプト記一五・四、五、八、九、一〇a、一二—一六）

ここでもまた歴史が自由に繰り返して述べられているのではなく、以前から伝わってきた図式に従って、ただわずかばかりは自由ではあるが、繰り返されていることは明瞭に見てとることができる。即ち紅海の奇跡、荒野での導き、土地取得が述べられている。ここでもやはりシナイでの出来事は暗示されていない。なぜなら[7] נְוֵה קָדְשֶׁךָ 「あなたの聖なる牧場」（一三節）はもちろん「聖なる土地」を意味するからである。

これらの詩において素材は漸次拡大してゆき、徐々に慣習的に用いられてきた図式の束縛から離れてきている。詩篇一〇五篇はさらに神のアブラハムとの契約の約束に重点を置き（八節以下、四二節）、エジプトでの労役、出エジプト、土地取得にヨセフの体験を加えて叙事詩的な幅を持たせている。しかしここでもまだ図式からはみ出してはいない。一方詩篇七八篇はエジプトから王朝時代に至る民族の歴史を全く息長く再現しているが、土地取得までの長さとそれ以後の歴史的な出来事を述べている部分の長さとの比率は、ここでもなお比較にはならない程である（およそ五一節と一六節！）。このことから、類型のもつ制約力が、かなり分解してきた場においても、なお強く働いていることが理解されるであろう。たしかに第二部にはいくつかの具体的な事柄が述べられている、即ち高き所での礼拝、シロを捨てたこと、ユダとシオンを選んだこと等である。しかし類型がこのように軟化したり、（瑣末なことでさえ）全ての事柄を思い起こさせようとする動きがあったとはいえ、まだシナイ物語を受け入れるには至らなかったのである。ということはこのシナイ物語が、詩篇一〇五篇や七八篇によって育てられてきた伝承とはいかに関係がなかったかを示している。このことはまた詩篇一三五篇にも妥当する。この詩篇はその全体的神学的内容から見れば、かなり後代のものだとすることができるものである。救済史の叙述は慣習通りエジプトから土地取得までである（八—一二節）。この詩篇が救済史に関する一般的な伝承に自由に依存しているのかどうか、もしくは文学として既に存在していた文書の素材から間接的に創作したものかどうかの問題は臨機応変に答えねばならない。それが文学的には現在の六書に事実依存しているとすれば、シナイ断片（ペリコーペ）が無視されているということは当然奇妙な感じを与えるであろう。

シナイ断片（ペリコーペ）が正典的な救済史に取り入れられた最初の例はネヘミヤ記九章六節以下の祈りの中に見られる。ここでは今までどこにも見る事のできなかった部分を漸く読む事ができるのである。

「あなたはシナイの山上に下り、天から彼らと語り、正しいおきてと、まことの律法および良きさだめと戒めとを授け、あなたの聖なる安息日を彼らに示し、あなたのしもべモーセによって戒めと、さだめと、律法とを彼らに命じられた」。（ネヘミヤ記九・一三—一四）

もちろんこの章節は祭司法典的な叙述に依存している。しかしその出所を明らかにすることは、我々にとって、ここに来てはじめて重要なシナイ伝承が、慣習的に用いられてきた救済史像の中に有機的に組み込まれているという事実の確認に比べれば、副次的なものでしかないのである。この段階においてこの類型は完全に分解したことになる。なぜなら歴史的省察は今や、世界創造、族長、エジプト、出エジプト、シナイ、荒野放浪、土地取得、士師時代、王朝時代、さらに捕囚後の時代までを包括しているからである。——詩篇一〇六篇は金の牛について述べているが、歴史を捕囚時代、おそらく捕囚後の時代にまでも下って概観している。

結論として次のようにいうことができよう。自由、不自由を問わず規範的な図式に従っている救済史叙述でさえシナイの出来事については述べていない。したがってシナイ伝承は、この図式からは独立した、そして後代になってはじめてこの図式と結びついた独自の伝承を形成していたと思われる。

三　六書におけるシナイ伝承

前章の結論はその中に一つの重要な問いを含んでいる。出エジプトから土地取得に至る正典的救済史が一方に、シナイにおけるイスラエルの体験に関わる伝承が他方にあって、この二つが根源的には独立した伝承として対立しているとすれば、このシナイ伝承の由来と本質について詳細に述べなければならないであろう。とりわけ六書の叙述が、この二つの伝承はそれぞれ独立したものであるという我々の結論に矛盾しないものかどうかを問うべきであろう。それゆえ我々はまず第一に、大きな六書の叙述の流れの中で占めるシナイ断片（ペリコーペ）の位置を究めねばならない。

その際我々は長年にわたってなされてきた研究を引きあいに出すことができる。「エホヴィストには、イスラエル人が紅海を渡ってすぐ後にカデシに行ったという、即ちそれ以前にはシナイへは寄らなかったという今一つの伝承があると思われる。出エジプト記一九章で初めてシナイに到着するのであるが、出エジプト記一七章では既にカデシ地域のマッサやメリバに到着している。……それゆえシナイに到着する以前に語られている物語が、シナイから出立した後もう一度繰り返されていることになる。なぜなら、出発以前の場所も以後の場所も同様であるからである。……いいかえるならば、イスラエル人たちはシナイへ寄った後ではなく、出エジプトの直後に、彼らの放浪の本来の目的地であるカデシに到着したのであった」[8]。このヴェルハウゼンの簡単な確認は本質的には我々の問いに対する答えを含んでいる。ただ我々はそれを純粋に伝承史的な面に限定しなければならない。なぜならここでは史的な出来事の探究が課題でもなく、シナイへの「寄り道」をまだ知っていない一番下の文学層を探究するのが課題でもないからである。たとえそうだとしても、かようなことが出エジプト記一五章二五節bと二二節bとに実際保存されている可能性が強く[9]、我々にとって重要なことである。しかしヴェルハウゼンの命題が純粋に文学的な過程においてたとえ証明されないとしても、六書の伝承においてシナイ伝承が独立している認識は動くことはないであろう。

カデシ伝承が一方では出エジプト記一七章、他方では民数記一〇章以下に分断されているという点についてはは述べたが、ヴェルハウゼンの発見をその一面的な文学的な原理から解放したのはグレスマンである。[10] 彼はまた、出エジプト記一八章も元来はカデシ伝説であろうとしたヴェルハウゼンの大ざっぱな意見に、[11] 明確な理由を与えたのである。彼によれば、我々はカデシ伝説圏(出エジプト記一七―一八章、民数記一〇―一四章)とシナイ伝説圏(出エジプト記一九―二四章、三二―三四章)とを分けるべきである。ただ前者は本来の出エジプト物語と非常に密接に結びついている。しかし後者は出エジプト記三四章と民数記一〇章二九節以下との間の飛躍が示すように結びついていない。ともかく民数記一〇章二九節以下を適当に修正することによってシナイからカデシへの帰途があったかのようにされている。なぜなら一〇章二九節以下もまた素材からいえば、カデシ伝説に属しているからである。[12]

シナイ断片(ペリコーペ)の特殊性が一度認識されるや否や、多くの事実に即した障害が漸次明るみに出てきたのであるが、ここではそのうちで最も重要な出エジプト記一五章二五節の覚え書のみを取り上げよう。[13]「その所で彼は民のために定めと、おきてを与えられ、そこで民を試みられた」。この箇所はカデシ伝承の中に調和して振り当てられている。なぜならマッサという地名の原因譚をたしかに含んでいるからである。しかしカデシで神の律法を受けたという言及は(なぜならヤハウェが

שם の主語であるから）奇異な感じを与える。なぜならカデシにさかのぼるこの律法伝承は、神の律法授与をシナイとする伝承と平行しているからである。それに対してこの出エジプト記一五章二五節の覚え書がとるにたらぬものであるとすることもできない。なぜなら、もしとるにたらないものであったなら、後になってこの両者の伝承が一緒になった時、一方が他方に譲歩せねばならなかったということが考えられるからである。またここの場合、文章論的にも不均衡であるから、テキストがそこなわれているということもできる。その他出エジプト記一八章はカデシでの律法伝承について多くの暗示をしているから、この点において伝承が重複していることは全然疑えない。(14) 神の律法が共同体に与えられたということの報告が、いったいいかにしてシナイ断片と平行してもともとありえたのであろうか。というのはシナイ断片はこの報告によってその独一性と排他性とを奪われるからである。同様にそれはまた出エジプト記三章や六章に報告されているように、モーセが民に伝えるべきヤハウェの啓示とも関連しているのである。民にヤハウェとその救いの意志とを知らせ、出エジプトと土地取得の成就とを保証するものに啓示以外何があるであろうか。この啓示にシナイ啓示が簡単に自明のこととして付加されているということはできないであろう。

しかし我々はここでシナイ断片自体に目を向けてその内的構成を探ってみよう。しかしこれは、このシナイ断片が、これをとりまく六書伝承の内部においていかなる立場にあったかについて確答をえるためには、まだ仮のものでしかないのである。

六書のシナイ断片（ペリコーペ）は、多くの資料が非常に複雑にもつれあっている状態の中に存在している。おそらく部分的には解決のつかない文書的問題については、あまり問題にはしないでおこう。というのはシナイ伝承の内的構成、即ち文学的な統一より、素材としての統一性の方が我々にとって問題であるからである。

シナイ到着後――Eによればその直後、Pによればおそらく七日ののち――モーセはヤハウェに会うべく山に登る。ここで彼は――JもEも――民が三日目までに、神の到来を受けいれる準備をするよう命ぜられる。モーセは山を下り、民を祭儀的に浄めるべく配慮する。この第三日はシナイでの出来事の最高頂であり、本当の神顕現（テオファニイ）である。民は山の麓におかれ、神が近づく時に付随しておこった事象――火、煙、ラッパの響き――を驚きをもって見聞きするのである。それゆえモーセは今一度山に登り、民に対する神の意志の啓示を十誡という形で（E）受けとるのである。Jによる物語においても、出来事の順序は全く同じであり、その第二部は出エジプト記三四章[15]（後にそこに誤って置かれた）において読むことができる。Jの場合律法の順序はどうであったかはもはや明白ではない。なぜなら今一〇節以下で読むと二つのものは「第二次的な混合像」[16]であるからである。おそらくJもまた実際の十誡の草案をもっていたであろうが、資料が整理された結果、明らかに代用品にとってかわられてしまったにちがいないからである。神の意志がモーセに告知された後に、当然祭儀的な祭りにおける民の義務が続いている。即ちそこでモーセは共同体に十誡を伝達し、犠牲によって契約を封印するのである(E)[17]。同様のことは力強い構成のPの叙述においてもその根底に存在している。モーセは山上で幕屋の律法を受けるが、それに民の前での布告(出エジプト記三五章)、聖なる幕屋の建立(出エジプト記四〇章)、kabodの出現によるアロンとその信仰者たちの大犠牲献納(レビ記九章)が続いている。しかしもちろん全てPの特に神学的な要請によって恣意的に変容されている。

この伝承を見るならば、特にEによって把握されているように、この伝承はその初めより犠牲による契約封印にいたるまで、一つの完結したものとしてうけとれるであろう。個々の資料にはそれぞれの特殊性が存在しているが、それだからといってそれぞれの特殊形態の背後に、完全に完結した一つづきの出来事を描いている一つの伝承があるということに疑いをさしはさむことはできない。したがって、そこから一つの要素を取り除いても、全体的にちぐはぐになってしまうことのない、そのような要素は一つもないのである。そして一つの物語が内的に完結していることを、この完結性の作り出している緊張関係が最後においてときほぐされているということによって、知ることができるとすれば、この場合はまさにそれにあてはまるのである。なぜなら民の義務と契約の犠牲とでもってこの物語は次第に消滅しているからである。この物語の続きについて人はこれ以上のことを知りたいとは思ってもいないのである。

出エジプト記三二章と三三章の場合、その内容をかいつまんで見るならば、今述べたものよりさらに統一がないという印象を強く受けるであろう。まず最初に金の牛に関する大きな叙述がある。もちろんこれは素材からいえば、それ自体で完結したものである。この事件はたしかに、モーセが再度山に上っている間に起こったとすることによって、前の部分と巧みに結合され、また同様に、そのような罪を犯したことが一つの悪い結末を迎えることになる（三二・一以下）という点で、後の部分とうまく続けられている。しかし伝承としては、かつては独立したものであったにちがいないし、現在の文脈に入れられる以前にそれ独自の長い歴史を持っていたであろう。[18] モーセが不在中に犯した罪、その調停、審き、レビ人への祭司職の委託――これは物語としてはそれ自体完結した有機体であり、それ以前のものとそれに続くものとはもはや共通しない独自の scopus であって、ただシナイでの出来事という点が共通しているだけである。

出エジプト記三三章の素材はさらにシナイ顕現の力強い伝承から見ると二次的伝承に属する。この場合もその由来は特別なものである。なぜならここで問題とされているのは、種々の祭儀的な要素（天幕、顔、名前）についての原因譚であるからである。これらの原因譚のそれぞれは、かってはもちろんそれ自体一つの伝承であった。したがって次のようになるであろう。六書のシナイ断片(ペリコーペ)ではうたがいなく神の顕現と契約についての叙述が支配的である。内容と構成によればそれ自体で完結した伝承体である。これに種々の小さな祭儀原因譚的な伝承素材が付加していったのであり、これらは顕現と契約のあの物語とは、素材史的には関係のないものであった。文学的に互いに二次的に結びついたものであった。

これらの祭儀原因譚的な伝承と上述した出エジプト—土地取得伝承との関係について、ただ単に伝承素材としてのみ見るならば、これらは全く独立したものであったということができよう。これらの伝承が出エジプト伝承を文学として熟知していた程度は必ずしも一様ではない。即ち出エジプト記三二章と三三章の素材は、神顕現や、修正や混合の動きに対して強く抵抗した契約の物語の場合よりも、強く出エジプト伝承と混ざり合っている。(19) しかしあのもう一つの伝承の主要要素、出エジプトと荒野放浪における神の救いの業、とりわけ内的には土地取得へと展開されていくものを探してみるとしても、かかるものが出エジプト記一九章から二四章のどこに見出されるであろうか。それらは完全に舞台から消え去ってしまっており、あの力強い幕間劇の重みのために中断され、後程になって述べられることになるのである。こことあそこでは全く種類の異なった素材がとりあつかわれているのである。出エジプト伝承は、イスラエル人がエジプトからカナンにいたる道程で啓示された神の救済の意志の証しであり、「救済史」なのである。それに対しシナイ伝承は、イスラエルの民に啓示された神の法意志とそれにともなう義務を証しするものであって、「律法」[20]なのである。出エジプト伝承もまた神の啓示をもっており、そのことから伝承全体がはじめて救済史として正当化されるのである(出エジプト記三、六章)。この神の啓示が出エジプト記一九章以下と全く異なって、あの土地取得の伝承と元来有機的に結びついている点については、出エジプト記三章七節以下が示す通りである。

「私は、わたしの民の悩みをつぶさに見た……私は下って、彼らをエジプトびとの手から救い出し、良い広い地に至らせようとしている……」。

この二つの伝承の絶対的な年代については、我々の確認からはまだ何の結論もだすことはできない。グレスマンが「イスラエル人のシナイへの旅は古い伝承にはなかったものである」[21]という命題を確立したとしても、それは方法論的に間違っており、隣接の研究方法の権限をあまりにも認めすぎたのであって、我々にいえることはただ、二つの伝承があって、そのうちで二次的なものが、他方の伝承に付け加えられたということである。

シナイでの神顕現の叙述を礼拝上の伝承と考えるならば、当然の結果として、それが六書の資料であるＪＥに文学的に定着したのは――この伝承の古さから考えて――その長い歴史におけるかなり後の時代のこと、おそらく最終段階のことであったということになるであろう。ヤハウィストもエロヒストも、全ての本質的な点においては固定した一つの伝承複合体の上に基礎をおいていたのであった。出エジプト―土地取得伝承の場合に明らかになったと同様、おそらくここの場合にも一つの正典的な図式を期待しうるであろう。ＪもＰも最終的にはここにさかのぼってゆくのである。

出エジプト伝承が前述したように非神学的に取り扱われている例が詩篇に数多く見出されたように、このシナイ伝承が旧約の中で自由に詩文として変奏がなされていないかどうか見てみよう。そこでまず第一にモーセの祝福の序言に目を向けよう。

「ヤハウェはシナイから来られ、〈彼の民に〉セイルから光を放たれ、パランの山から輝き出で……モーセは我々に律法を授けて、ヤコブの会衆は〈その〉所有となった」。

（申命記三三・二、四）

ここではシナイ伝承が自由に引用されている。出エジプトと土地取得については語られていないが、神顕現と、神の律法によって民に義務を負わせ、民を拘束することとが語られている。

「モーセの祝福にとって……出エジプトは重要なものではない。即ち八節においても、その他の所においても語られていない。エジプトからの解放がヤハウェ（とモーセ）のその民に対する大いなる業であると考えていた後の時代の立場から見れば、それは考えられないような事実である[22]」。デボラの歌の有名な序章（士師記五章）は、条件づきではあるが、この場合と同じように考えることができるであろう。なぜならこの詩は最初の節を含めて、イスラエルの救済史の全くちがった時間を取り扱っているからである。しかしこの詩は（そしてハバクク書三章もまた同様に）、いかにシナイと神顕現とが分かちがたく結びあって、この伝承全体の一部をなしているかを全く明瞭に示している。シナイ伝承を構成する要素は神の到来であって、民の放浪ではないのである。

四　祭祀伝説としてのシナイ伝承

このようにして伝達されてきたが、かつてはそれ自体で完結していた伝承に対して向けるべき次の問いは、その歴史的な信憑性ではなくて、それが宗教生活において演じて来た特定の場所と役割、即ちその Sitz im Leben を問うことである。とはいえそれらの素材が、歴史的経過を再現するための史料として全く役立たないというのではない。ただこのような問いの立てかたは、その具体的な生活、活動範囲を問うというもう一つの問いに対して、全く二次的でしかないのである。

この明確に限定された伝承が、それだけで存在していた時代に、イスラエルの宗教生活のいかなる所でその役割を演じていたのであろうか。このような素材が、いわゆる見知らぬ敬虔さの領域に生存していたのではなく、また多少とも個人的な宗教的趣味の対象であったのではなくして、公的な宗教生活に属していたこと、まさに信仰共同体の基礎となるものであり、それゆえ、信仰共同体が公的に、宗教的に活動する場所、即ち祭儀においてその役割を演じていたことは明瞭である。[23] この問いは既にモーヴィンケルが十誡に関する興味深い著作の中の類型史の部分で問いかつ答えたものである。モーヴィンケルは、シナイの出来事に関する叙述の中にまさに新年祭が文学的な神話という言語に翻訳されて再録されていると考えている。[24] 事実この観点に立ってこの伝承の個々の素材を見るならば、それが元来は祭儀に根ざしたものであることは何ら疑えないであろう。その順序を再現すれば、準備のための潔め、即ち共同体の儀式的な清め——共同体がラッパの響きとともに神を出迎える——神の自己啓示とその意志の授与——犠牲と契約締結であって、これらは全て祭儀を意味している。

シナイ断片（ペリコーペ）と祭儀行為との密接な相関関係が明らかにされたことは一つの大きな進歩であった。

しかし我々がこの相関関係の本来的な本質を問う時、モーヴィンケルはかなり不明瞭な点を後に残しているのである。彼はシナイ物語を祭儀的な祝祭の「描写」もしくは「再録」としているが、我々はその祭りをどのように想定すべきであろうか。どこに祭りが「描かれている」のであろうか。祭儀的な祭りの過程と密接に対応しているこれらの物語はいかなる目的をもっているのであろうか。たしかにこれら全ては、祭儀の内容を詩人のように自由に創作したもの、したがっていわば祭りの要素を後になって文学に移しかえたものとは異なるものである。この場合は全く逆なのである。シナイ断片（ペリコーペ）は祭儀より以前に正典的な形態をとって、順序だったものになっていたのであり（これに対しJやEは既に二次的なものである！）、祭儀はこのシナイ断片（ペリコーペ）によって規制されているのである。祭儀が全体的に正当性をもつかどうかはまさにシナイ断片（ペリコーペ）に依存しているのである。即ちシナイ断片（ペリコーペ）はある特定の祭儀的祝祭の祭祀伝説なのである。我々はこの場合祭儀が先か、神話が先かを一般的に問わずに、[25] 伝説（神話という代わりにこう呼んだ方がよいであろう）が、祭儀から由来するものもしくはその成果であると簡単に考えるわけにはいかない。もしそうでなければ、これ以外の所で我々の良く知っている旧約信仰の生活機能の全てに矛盾するし、それが歴史的に深い根をもっていることに矛盾するのである。否、ここでは伝説はもちろん祭儀に先立って存在していたものであった。伝説が最初に祭儀を形成したのであるが、その際当然祭儀が伝説とその形成に対して逆にかなりの影響を及ぼしたことも考えてよいであろう[26]。

モーヴィンケルは二、三の詩篇と関係づけて、この全体の問題を全く効果的に詳しく論じている。事実類型的に詩篇五〇篇の個々の様式的な要素を見るならば、全く同様とはいえないにしても、シナイ断片(ペリコーペ)が前提としていると同様な祭儀的な行為を——最初は意外に思えるかもしれないが——逆推論しなければならない。

「神々の神、ヤハウェは語り、地に住む者を召し集められる……

我々の神は来て、もだされない……

神はその民を審くために、上なる天および地に呼ばわれる」。(詩篇五〇・一—四)

共同体は神の顕現を期待して立っており、その顕現の最高頂は神からの語りかけにある。祭儀共同体は神の名において呼び集められたのであり、犠牲はそれに先立って行なわれている。

「いけにえをもってわたしと契約を結んだ

わが聖徒をわたしのもとに集めよ。

天はその義をあらわにせよ、

神はみずから審き主だからである。

『わが民よ、聞け、わたしは言う
イスラエルよ、お前に警告を与える
わたしはヤハウェ、お前の神だからである』。（同五―七節）

ここに重要なことが含まれている。民は聞くことを要求されている。全てのものを審きへと導く一つの声が聞きとれる。ヤハウェは共同体の神として自らを啓示し、「わたしはヤハウェ、お前の神」という自己啓示は十誡の第一誡を暗示している。まさにイスラエルに対する証としての神の意志啓示の総体がここに含まれている。

もちろん詩篇五〇篇が直接的にそのまま祭儀的な行為を反映しているということはできない。精神的な感謝の犠牲と精神的な服従のために物質的な犠牲をはっきりと拒否している次の節はまさにこれと反対のことを語っている。この詩篇は精神的には既に祭儀から解き放たれている。しかしその概略の様式から見れば、まだ祭儀的な行為の図式と強く結びついている。この様式による強制がいかに強いかは、特に一八―二一節から明瞭に理解できる。

「お前は盗人を見れば、これと睦み、
姦淫を行なう者と交わる。

お前はその口を悪にわたし、
お前の舌はたばかりを仕組む。
お前は座してその兄弟を譏り、
自分の母の子をののしる。
お前がこれらのことをしたのを
わたしが黙っていたので、
お前はわたしを全く自分と等しい者と思った。
しかしわたしはお前を責め、
お前の目の前にその罪をならべる」。

ここでは明らかに十誡が全体的に、分離できないほど結びついており、意訳されている。この詩人が十誡を引用しているのは、それが彼の神学観に添っているからばかりでなく、とりわけそれが様式的には、この形式の内部で不可欠のものであったからである。

詩篇八一篇が反映している祭儀的状況も全く同様である。ここでもある儀式が沈澱している。その接点として、一つの祭り、明らかに新年祭が述べられている（四節）。我々にとってもちろん重要なのは、儀式的に簡略に述べられている本来的神の演説への移行である。それはここにおいて特にはっきりと見られる。「わたしはまだ知らなかった声を聞いた……」(六節b)。そして本来的な神の演説が続くのである(七―八節については後にみるであろう)。

「わが民よ聞け、わたしはお前に勧告する。
イスラエルよ、いつお前はわたしに聞き従おうとしたか!
お前のうちに他の神があってはならない。
お前は外国の神を拝んではならない。
わたしはヤハウェ、お前の神、エジプトの国からお前を導き出した」。(九―一一節)

これは祭儀行為の最高頂であり、民に対する神の直接の語りかけであり、その意志啓示である。この神の意示は十誡の第一誡という形をとって語られており、それと同時に十誡全体が当然意識の中に入ってきている。[27]

詩篇五〇篇と八一篇は前述した結論を適切に確証し、補足するものである。もしこれら二つがある祭儀行為の直接の再録であると(およそ礼拝式文として固定したものという意味で)理解しえないとしても――これらはむしろただ形式的にのみ類型の標識を保存してきた模倣作である――、この二つはシナイ断片（ペリコーペ）と共に、一つの大きな祭儀行為を明確に示してくれる。その点に関して重要なことは、もちろん神の自己啓示であり、それと結びついた神の意志告知が断言法（アポディクティッシュ）的な誡めという形で述べられている点である。十誡問題を詳しく論ずることは我々の探究の当面の課題ではない。しかし十誡の起源を、祭儀に参加して良いかどうかを決定する聖所の規則に求める[28]ことには、我々は納得しえないのであって、そのことに注意しておきたい。このような規則は、詩篇一五篇もしくは二四篇が示しているように、既に起こったこと、ないしは起こらなかったことと関係しているのであり、本質からいって、祭儀への参加者の過去を問題としているのである。しかし十誡の規定は、詩篇五〇篇と八一篇が示すように、祭儀の中心に存在しているのであり、参加資格有無の問題はこの時点ではもう済んだことなのである。十誡の規定は人間生活を未来に向かって秩序づけ規制するものであって、形式的にも内容的にも参加規則とは区別すべきである[29]。十誡の根源に関する問いについていえば、それが出エジプト記二〇章や詩篇八一篇一一節aに見られるように、神の自己啓示（それはただ祭儀的にのみ理解される）と有機的に結びついており、これらの誡律が、本当に祭儀行為の最高頂であって、ついでに語られたものではなかった点については疑いないといってよいであろう。

したがって神の誡律を朗読することと、それに関する義務とは、古代ヘブライの祭りの主要要素であったにちがいない。そしてエズラによる律法朗読（ネヘミヤ記八章）の他に、申命記三一章一〇節以下の箇所が新たにこれと関連して論じられたのである。[30]

「七年目ごとにお前はこの律法を全てのイスラエルの前で読まねばならない」

事実ここにおいても、神の意志の授与が、祭りの参加者の前でなされたことが理解されるのである。共同体に対するこの神の意志は申命記においてくまなく総括されており、したがってこのような様式で朗読されることは、この箇所の意味するところでは新しいことである。このような慣習そのものは、そのために作られたものではなく、さらに古い時代にさかのぼるものである。諸国民が彼らの生活に対する神の教えを受けるべくシオンに集まってくるのを、イザヤが霊によって見る時、それが現実の出来事と結びついていたことは明白である。祭りごとに多くの群衆が神殿に巡礼し、その祭儀の頂点において神の意志を改めて聞き、その律法に対する義務をもって再び故郷に帰ったのであろう。イスラエル法の起源に関する研究において、十誡を、祭司たちによって守られてきた多くの規則のうちの精髄として、即ち明らかに共同体に対する神の意志全体を総括しようとしている一つの精髄として、理解させようとしたのは特にアルトであった。[31]

五　申命記における様式の問題

我々は関連上申命記にも少し目を向けねばならない。ここでは申命記の問題が含んでいる多くの実際上の困難を放置してよいであろう。むしろ申命記の本質に関する大論争の中ではほとんど研究の対象とはならなかった一つの点に限定しよう。即ち演説、律法等という注目すべき順序に並んでいる申命記を様式としていかに判断すべきであろうか。現在の形の申命記を神学的な机上の労作であると仮定するとしても、申命記そのものの「類型」を問うことを禁ずることはないであろうし、申命記的神学者が利用したこの様式の歴史と由来との探究をますます促すことになるだけであろう。これらの人々がそのためにのみこの注目すべき様式を創り出したとは考えられないことである。もちろん個々の点については長年にわたって研究されてきている。即ち勧告についてはケーラーが見解をのべているし、[31a] 祝福と呪いの部分は類型史的に詳しく論じられた、[31b] とりわけこの点に関して律法規定が詳細に研究されてきたのである。しかしこれらの試みは全て、類型に合った素材を部分的に出発点として取り上げただけであり、その研究を進めていくうちに申命記の領域からはみ出してしまったのである。個々の部分が申命記の内部でもっている意味とか役割とかを問うことは、我々の知る限りでは、なされなかったし、したがって申命記の神学者たちが机上にあって種々の様式を取り上げ、個々の要素を可能な限り上手に構成することによって神学的な要請を表現しようとしたかのような印象を与えるのである。様式史的な観点から申命記の成立を眺めようとするこのような見方は当然ここでは排除される。これが誤りであることは、申命記が形式的に一つの有機体であることを明瞭に認識すれば理解できることである。即ち種々の外殻や贅肉を文学的に分離することはできるだろうが、そうしようとすればするほど、類型的には個々の主要部分が一つの分かちがたい統一を構成していることがわかるのである。したがって次のようにはっきりと問うことができる。申命記が全体として提示している様式の意味と由来とは何であるのか。さて全体を区分すると次のようになる。

一　シナイの出来事の歴史的叙述と勧告　申命記一―一一章
二　律法朗読　申命記一二章―二六章一五節
三　契約義務　申命記二六章一六―一九節
四　祝福と呪い　申命記二七章以下

前述したように我々は文学的な問いはしない。もちろん勧告は一連の勧告的説教から成り立っているし、また契約締結や祝福・呪いの告知は多くの層から構成されている(二六・一六以下＝二九・九以下、二八・一―二五＝三〇・一五以下)。しかしこのように確認したからといって、類型的様式的観点から、申命記の主要部分が一つの統一体をなすものであるという理解の妨げにはならない。

前述した区分を詳細に論ずれば、我々の問いにどのような方向において答えるべきかは疑問の余地はないであろう。この四つの部分において我々はかつての純粋に祭儀的な行為の基本を、つまりJとEのシナイ断片(ペリコーペ)伝承、出エジプト記一九章以下に明白に反映しているのと同じ祭りを再び見出すのである。

出エジプト記のシナイ断片(ペリコーペ)の叙述に根をおろしている伝承を今一度見るならば、次のような主要要素を取り出すことができる。

一　勧告（出エジプト記一九・四―六）とシナイの出来事の歴史的叙述（出エジプト記一九章以下）
二　律法朗読（十誡と契約の書）
三　祝福の約束（出エジプト記二三・二〇以下）
四　契約締結（出エジプト記二四章）

これはエロヒストに見出されるのと同様の伝承である。出エジプト記においてはこれらの四つの根本要素が特に歴史的な粉飾をしているからといって、申命記が様式的にも内容的にもこれと同じ祭祀伝承の中で活動している点は間違いない。形式的に表現された全体の概略即ち祭儀の順序の図式は申命記の方により良く保存されているということができよう。しかし申命記は明らかにより後代のものであり、特殊な祭儀的な現実からは遠く隔たっている。しかもかつての祭儀的な関心事からは精神的にはさらにずっと解放されている。それゆえ出エジプト記においては特に神聖な犠牲行為が報告されているのに対し、申命記にはただ精神化された契約義務が保存されていることは偶然のことではない。

しかしその関心事が祭儀とはかつては結びついていたことを特に明瞭に認めさせる一つの線が申命記全体を貫いている。それはいたるところに闖入している「今日」であって、申命記的説教の公分母を形成している。例えば「今日私はお前に与えた……」(申命記一五・一五)、「今日お前はヨルダンを越える」(申命記九・一)、「今日お前たちは、ヤハウェがお前たちの神となるということを、ヤハウェから明言された」(申命記二六・一七)、「今日お前はヤハウェの民となった」(申命記二七・九)、「今日私は命と幸い、死と災いをお前の前に置いた」(申命記三〇・一五)、「今日私は天と地をお前たちに対する証人として呼ぶ」(申命記三〇・一九)。これは申命記記者たちが彼の関心事を現在化するために選んだ一つの有機的な用語でしかないとはいえないであろう。否この用語の本質のもつ特徴において、まさに申命記は救済史の出来事を情熱的に現在化しているのである。そしてこのような現在化は祭儀のみがなしうるのであって、いかに巧みではあっても文学的な叙述ではなしえないものである。さらにこのような観点に立って、申命記五章二―四節を読んでみよう。

「われわれの神ヤハウェはホレブでわれわれと契約を結ばれた。ヤハウェはこの契約をわれわれの先祖たちと結ばず、今日ここに生きながらえているわれわれすべての者と結ばれた、ヤハウェは山で火の中からお前たちと顔を合わせて語られた」。

ここではさらに明瞭に関心事が示されている。シナイでの神の啓示は現在呼びかけられている世代にとって決して過去のことではなく、まさに彼らにとって重要な現実性をもつものである。このような時間の逆転は文学的な意図においては何の意味ももたなかったであろう。なぜならこのような主張がモーセ以後の世代に存在したと期待することは現実にはできないであろうからである。しかし祭儀という体験においては、即ち過去・現在・未来における神の行為が信仰に対する一つの未曾有の現実へと集中している祭儀においては、このような主張は可能であり、まさに必要欠くべからざるものであったのである。

これは歴史と歴史的距離に対する我々の特別の関心を信仰生活という事実の中で正しい位置に

戻しうる一つの事実であろう。後代のイスラエルが自己をホレブにおけるイスラエルと簡単に同一視し、直接自身をホレブでの約束の受領者と考えたこの決然たる同時性！

シナイの出来事を現在化したと同様な傾向が――もちろん幾分異なった論証の様式をとってではあるが――申命記二九章一〇節以下に見出される。

「お前たちは今日、お前たちの神ヤハウェの前に立っている。すなわちお前たちの部族のかしらたち、長老たち、つかさたちなど、イスラエルの全ての人々……はヤハウェの前に立って、お前たちの神ヤハウェが今日お前と結ばれるヤハウェの契約と誓いとに入ろうとしている。これはヤハウェがさきに約束されたように、またお前の先祖アブラハム、イサク、ヤコブに誓われたように、今日お前を立てて自分の民とし、また自らお前の神となられるためである。わたしはただお前たちとだけこの契約と誓いとを結ぶのではない。今日ここでわれわれの神ヤハウェの前にわれわれと共に立っている者ならびに今日ここにわれわれと共にいない者とも結ぶのである」。

ここでは歴史的出来事がそのまま現在化されているのではない。締結された契約がずっと距たった世代にも妥当すると拡大されており、その出来事の現実が現在に対しても保証されている。

シナイの出来事がそれ以後の全ての世代にとっても同時性をもつということは、しかし一つの小さな不統一をかくしていたのであった。祭儀行為の最高頂において、最初の時はそうしたのに、なぜ神自らが共同体に語りかけないのだろうか。一回きりの神の声を人間の言葉によって代理するという点はいかに説明されるのであろうか。既にエホヴィストの叙述においてこの点が一つの役割を果たしているが、それを調べてみることは興味のないことではない。出エジプト記二〇章一九節は次のように述べている。

「彼らはモーセに言った『あなたがわれわれに語って下さい。われわれは聞き従います。しかし神がわれわれに語られないようにして下さい。そうでなければわれわれは死なねばなりません』」。

これはまた、この伝承がその Sitz を祭儀にもっていたことを証明するものである。なぜなら、これは祭儀預言者に関する原因譚以外のなんであろうか。同様に、さらに広い意味で、神の代理として語る祭儀的な語り手というこの職が、申命記において原因譚的に正当化されている。

「お前たちが暗黒のうちから声を聞くに及んで……お前たちはわたしに近寄っていった『われわれの神ヤハウェがその栄光とその大いなることをわれわれに示されて……、われわれはなぜ死ななければならないのでしょうか。……あなたはどうぞ近く進んで行って、われわれの神ヤハウェが言われることをみな聞き、われわれの神ヤハウェがあなたに告げられたことを全てわれわれに告げて下さい。われわれは聞いて行ないます』。お前たちがわたしに語った言葉をヤハウェが聞かれて、わたしにいわれた『彼らの言ったことはみな良い』」。（申命記五・二三―二八）

既に何年も以前にこれと同様の命題を主張したのは、古い人たちのうちではクロースターマンのみであった。その方法が上に概略したような結果を獲得した方法とは異なるものであったとしても、即ち祭儀的―類型史的叙述という方法ではなかったとしても、彼の名を述べないわけにはいかない。彼は五―一一章を「公的な共同体の集会における律法朗読の導入部と伴奏のための説教風の挨拶」[32]として理解せねばならないと考えていた。また一二章以下も彼は「律法の書」と解せず、「公的な律法朗読のための史料集」[33]であると考え、申命記全体を「公的な律法朗読の現実的な実践から成長した結果である」[34]と考えた。もちろん彼もまた申命記の根本的な様式と全体的な概略のもつ意味を問わずに、直ちに種々の文学的な分解作業へと進んでいったのである。

しかしここで今までに我々が結論として得たものと、まだ解決されていない文学的構成の問題とがかみ合うことになるのである。あるいは史的な、あるいは勧告風のモーセの演説を含む申命記の種々の異版がかつて存在したのであろうか。我々の特別の問題は必ずしもこの仮定とは関係しないであろう。なぜなら祭儀から解放されたのちも、申命記の様式はさらに成長したであろうし、後代の特別の必要性に適合するようにされたということを考慮に入れねばならないからである。しかし今まで問題となってきた史的導入演説と勧告風の導入演説との並置が一つの新しい光に照らされるということもありうるであろう。なぜなら出エジプト記一九章以下の場合も申命記の場合もその構成が、主要事項に関しては、この点において一様に対応しており、このことはきわだって著しいことだからである、出エジプト記一九章においても模範的な勧告演説と並んでシナイの出来事の歴史的叙述が見られる。この二つの要素は結局古代の祭儀行為の内での二つの部分に遡源するのではないだろうか。出エジプト記一九章以下ではシナイでの出来事の歴史的叙述が演説としては様式化されていないという事情を、我々はこの際重視して考える必要はない。もちろん本来的歴史叙述の様式と演説の様式のうち、どちらの様式が古代の伝承によりよく対応したものであるかを問うこと自体は重要でないというのではない。この場合でもより根源的なものが申命記に保存されていると我々は考える。古代の祭儀伝承に照らし合わせて考えれば、歴史的出来事を客観的に叙述する方が後代のものであって、それは六書伝承の全体の様式の要請によっておこったことであり、その中にシナイ断片（ペリコーペ）が、我々が既に見たように、後から挿入されたのである。

我々はここでさらに個々の部分に立ち入って探究しなければならない。なぜなら歴史的演説（申命記一―五章）と勧告的演説（申命記六―一一章）とは最初見たところ非常に様式的差異を示しているからである。前者の場合論理的に出来事の順序に従ってかなり統制のある歴史的回顧をしているのに対し、六―一一章では事情は本質的に異なっている。内的な精神的な進歩については問題外である。形式的にもこの演説の部分がかつては独立した祭儀的な機能をもった個々の部分から成り立っているという形跡がみられる。この点についてもクロスターマンは既に何年も前に正しいことを述べている。勧告的な部分を詳細に分析した結果、彼は次のような結論に達している。つまり「六―七章には元来は平行していた挨拶があって、それらは律法朗読の儀式において、古い律法の書の中のある特定の章句を朗読する前に、導入部として使用されたものであるか、もしくは結びの勧告としてそれに続けて用いられたものであるが、その本来の意図に反して……教化的な思想の構成に従って進行する一つの演説に必然的に結びつけられてしまったのである」(35)。

したがって――一つの例証としてあげるならば――申命記七章一節以下はかつてはこのような勧告的な序文(プロローグ)であったであろう。

「(神がイスラエルを約束の地に導き入れた時、カナンの人々と協定を結んではならない)『なぜならお前はお前の神ヤハウェのもの、聖なる民であり、ヤハウェがお前を全ての民のうちから選んだからである』。……（それはヤハウェの愛と真実であって、したがってイスラエルはヤハウェを、契約を守る本当の神と知らねばならない）『それゆえ今日わたしがお前に命ずる命令と定めとおきてとを守って、これを行なわねばならない』」。（申命記七・一―一一）

これでもってこの部分は完結している。そしてその全体は出エジプト記一九章四―六節の勧告的序文（プロローグ）と非常に類似している。しかしそれに直接続く節（二二―一五）で、ヤハウェの民が服従するならば、家、家畜、穀物に祝福を約束し、豊饒と、悪疫にかからせないという約束をしているが、この二つの部分（一―一一節、一二―一五節）の間に、かつては本来的な律法朗読が置かれていたというクロスターマンの推論は、民が賛同の声をもってこの律法朗読に答えたという、もう一つの主張と共に、特に信じるに足るものであるといえよう。(36) したがってそれはまた説教風に広く引き伸ばされた形によって、律法朗読を申命記六―一一章と二八章の枠内に入れているように、七章一―一五節の中に勧告と祝福の約束とを表わす一種の儀式的定式が存在するであろう。本来的様式と拡大された様式とが素材的にも対応していることは疑いのないところである。特に二八章一節以下においても農業上の願望、豊饒、雨に関する祝福の約束においてそれは顕著である。

直接的な神の語りかけに先行する（預言者の叱責の言のように！）「勧告的序文（プロローグ）」の要素は、出エジプト記一九章四―六節に儀式的な原型に最も近い形が保存されている。まさにこの部分が特に様式を拡大するように適していたことは明らかである。これが前述した詩篇八一篇の七、八節――これは律法朗読に先行している――から明瞭に取り出される点について述べないわけにはいかないであろう。詩篇九五篇やミカ書六章三―五節もこの点から考察しなければならない。しかしこのような自由に展開されている所で暗示以上のものを期待することは無理であろう。しかしこの序文（プロローグ）が一つの確固たる要素として神の救済史的行為の示唆を含んでいたこと、悔い改めへの呼びかけの性格をもっていたことは明白であろう。

そこで申命記は我々にかなり新しい視野を与えてくれる。つまり申命記は祭儀的な種々の素材の奇妙な堆積であるが、これら全ては祭儀行為を反映しており、かなり長い文学的な結晶過程を経た最終段階において、再び記念碑的な統一性をもった構成となっている。それは一つの驚くべき内的な秩序を明らかにしてくれる。即ちその根底においては申命記が成り立っている個々の小さな祭儀的な単元でも、巨大な全ての祭儀的な規準を粉砕してしまうような最終形態、即ち勧告―律法朗読―契約締結―祝福と呪い―をとっている申命記全体の場合でも、同じ祭儀の流れの法則に従って描かれているということである。

六　祭祀とその歴史的由来

前章はシナイ伝承が祭儀伝承であるという主張を確証するのに役立った。それゆえにその根底に横たわっている祭儀行為に関する我々の知識は、主要部分に関する限り、広くなったわけであるから、それがいかなる祭祀と関係するのかという問いに答えることは、さして困難なことではない。むしろ困難なのは、この祭祀が歴史的にどこに根をおろしていたかというそれに続く問いである。つまり古代イスラエルの歴史のうちでの一番古いと思われる、時間的・場所的な位置を提示することである。

出エジプト記一九章以下のシナイ伝承は、日付のようなものを含んでいるから、その背後にある祭祀を発見するためには、この叙述から出発するのが常道であると思われる。そこには次のように書かれている。

「イスラエルの人々はエジプトの地を出てのち三月目のその日にシナイの荒野に入った」。

（出エジプト記一九・一）

この日付がテキストとしてこわれていることについては既に見たところであるし、בַּיּוֹם הַזֶּה がここでは「この時」を意味するという考え方は正しいとは思われない。(37) 日付の特徴――בְּאֶחָד לַחֹדֶשׁ(月の初めの日)のような――が欠けているが、その理由はわからない。しかし出エジプト、即ち過越の後の三月目が週の祭りを指し示していることは明らかである。この日付は祭司法典的であり、この祭祀についての後期ユダヤ教の理解に対応しているのであろう。なぜならこの週の祭りは、啓示と律法授与の祭りであり、この祭りのために読むよう規定された箇所はまさにこの出エジプト記一九章以下であるからである。(38) このユダヤ教の伝承を後代の構成として最初から(a limine)退けることはできない。たとえ本文が後代になって初めて新しい時代の慣習と調和するようにされた可能性を考慮に入れねばならないとしてもである。この理論と全く矛盾する、より古い日付が出てきて初めて根本的に疑われることになるのである。

明らかに大して古くはない箇所、申命記三一章一〇節以下に今一度目を向けるならば、そこで一つの日付に出会う。それはより新しい時代の慣習に矛盾しているから、より信頼しうると思われる。

「七年の終わりごと、すなわち、ゆるしの年の定めの時になり、仮庵祭にイスラエルの全ての人が、お前の神、ヤハウェの前に出るため、ヤハウェの選ばれる場所に来る時、お前はイスラエルの全ての人の前でこの律法を読んで聞かせなければならない」。

（申命記三一・一〇b―一一）

以前この箇所は、「律法の書」の朗読が非常に新しい祭儀行為であるという理由で、根本的に疑われていた。しかし「本」から読むということはずっと後代のものかもしれないが、その背後にある神のいましめを朗読するという方法が、非常に古い祭儀的な慣習であるにちがいないことは今日では明らかである。また同様にこの義務の祝祭と仮庵祭とを結びつけることは決して全くの想像ではないのである。ネヘミヤ記八章にも同じ祝祭が仮庵祭に行なわれているし、この我々の知っている新しい伝承はこれらのより古い日付とは一致しないからである。仮庵祭は古い時代には共同体が巡礼を行なって集まった祭りであった。それゆえにヤハウェと民との契約更新の祭りがこの祭りと同一であると考えるより他はない。また七年目の仮庵祭に公告される שמטה 休耕がその神学的な動機においてあの契約更新の祭りと最も密接に関係していることも明らかである。שמטה において決して社会的な要請――出エジプト記二三章一一節も申命記一五章一節以下も古代の基本的思想を後代になって合理化したものである――が問題とされているのではなく、神を耕地の単独所有者として告白しているのである。ある特定期間の経過後、共同体は共に一つの祭儀行為を行なうのであり、それはヤハウェの単独所有権を地上にうちたてることを目的とするものであった。[39] しかしヤハウェの単独所有権というこの考え方は、契約義務の祝祭において、そこに参加すべくあらゆる地方から集まってきた祭儀共同体に適用されている。この祭祀においてヤハウェは再び新たにイスラエルに対する彼の所有権を実現するのである。共同体は所有関係と、神がその誡律において表わす拘束とを肯定するのである。即ち共同体は契約に入り、それゆえ神の聖なる民、神のものとなるのである。この契約義務の祝祭も、ゆるしの年のそれと同様、アルトが申命記三一章一〇節を理由として仮定しているように、七年毎に行なわれたものか、毎年繰り返されたものかについては、ここでは未解決のままにしておいてよいであろう。

この点までは事柄は明瞭である。そこでこの祭祀の古さと由来に関する問いが出てくるのである。この契約義務の本質を仮庵祭の中に認め、それを抽出した最初の人、モーヴィンケル[40]は、この祭儀が行なわれた場をエルサレム神殿であると考えた。多種多様の、時には決して古いとはいえない言及から、この祭儀の姿を創り出す彼の方法によれば、この仮定は間違っておらず、おそらく必然的なものであった。しかし一つの完結した伝承から問いを発しようとする我々にとっては、いわば外から即ちイスラエルの一般的な祭儀の歴史から答えようとするのは方法論的に誤っているであろう。なぜならシナイ伝承は聖所伝承ではあるが、いずれにせよ、そこからエルサレム神殿との直接的な関係は出てこないからである。かくして我々はシナイ伝承をイスラエルにおける特定の場所の祭儀慣習と結びつけるか、もしくは特定の場所との結びつきを暗示するような諸要素をシナイ伝承が自己のうちにもっているかどうかを問うのである。この問いは我々の判断によれば直ちに是認される。我々の祭儀伝承の最高頂、最も本質的なものは、誡律という形で共同体に与えられる神の律法意志の告知である。伝承によればこのような慣習が行なわれた古代イスラエルの聖所が一つだけ存在する。それはシケムであった。幸いにしてこのことを確認する言及が多く存在している。

まず第一に「シケムにおける集会」の叙述である。ヨシュア記二四章を考えてみよう。この叙述と結びついている重要な歴史的、宗教的問題については今は考えないでよいであろう。ここではヨシュア時代におこった一回きりの歴史的出来事だけでなく、むしろ定期的に繰り返される契約の祭り、即ち「そこにおいて部族連合の忠誠の誓いが新しい神の意志のために更新される」[41]契約祭とが問題であるというゼリンとノートが明らかにした確認のみに限定しよう。この祭りの中心点には神の意志の告知と共同体の義務とがあるということは、その報告、特に二五節が明示している。それによれば、ヨシュアがシケムで חֹק וּמִשְׁפָּט（定めとおきて）を与えたのである。

しかしもう一つの、ヨシュア記二四章からは全く独立した伝承が同じような祭祀を示しており、我々がヨシュア記二四章から得る知識を確認し拡大してくれる。その伝承とは申命記的文学の内部に埋められている伝承諸要素である。即ち申命記二七章、一一章二九節以下、ヨシュア記八章三〇節以下である。[42] ここでも我々は個々の問題――特に文学層の問題――には触れないでおこう。ただシケムにおいて祭儀的な儀式が行なわれたことを想起している、明らかに非常に古い第二の箇所が存在することがわかれば、それで十分なのである。種々の従属関係によって多くの諸要素に分けられるこの申命記的伝承が、たとえ、儀式に関する限り、その主音はもっぱら祝福と呪いの儀式に置かれているとはいえ、同じような祭儀行為にさかのぼるものであることは明らかである。しかしいずれにせよ、申命記二七章等を独立した祭儀行為として評価しなければならないということを意味してはいない。なぜなら祝福と呪いの儀式が、神の律法の告知と契約義務といかに有機的に結びついているかについては、前に見た通りであるからである。さらに申命記二七章は、完全には文学的とはいえないが実際的な関連においては、シケムの儀式と、共同体に対する非常に古風な神の誡律の告知とを結びつけている。祝福と呪いの儀礼的な部分の中で互いに呼応している二つのコーラスが、この儀式の根源的な姿であるとしなければならないが、一方申命記二八章によれば、契約義務の後の祝福と呪いの告知は司式者の口を通して行なわれるのであり、それゆえ同じ祭儀行為を精錬された、人工的な、したがって精彩のない姿で反映してもいるのである。しかし我々はもう一歩先に進むことができるであろう。シケムにおける契約祭の個々の要素とシナイ契約の個々の要素とが明らかに対応している点に注目したのはゼリンであった。[43]ゼリンがこの認識に立ち至った方法、即ちヨシュア記八章三〇節以下とヨシュア記二四章一節以下とを文学的に結びつける方法は、ヨシュア記八章三〇節以下がエロヒストのものと証明されない場合、通用しないとしても、ヨシュア記八章と二四章に述べられていることがシケムの儀式と実際的な関連性をもっている点は疑いないのである。相互に独立した二つの伝承があって、その方法と要請の差異とは関係なしに、二つとも結局はシケムにおける同一の契約祭にさかのぼるとすれば、この両者から列挙しうる祭儀上の個々の諸要素を、一つに整理してもよいと思うのである。その場合シケムの祭りについては次のような結果となるのであろう。

ヨシュアの勧告（ヨシュア記二四・一四以下）
民の同意（同二四・一六以下、同二四節）
律法の告知（同二四・二五、申命記二七・一五以下）
契約の締結（同二四・二七）
祝福と呪い（申命記二七・一二以下、ヨシュア記八・三四）

このように文学的には異なった伝承から個々の部分をとり出して整理することは、もちろんある程度の制限をもってのみ許されるものである。しかしその共通の根は、根本的にはこの試みを正当化するものであり、そこから得られる結論は、あとからではあるが、そのことを確認するのである。さきに出エジプト記一九章以下と申命記とを比較したように、シケムの祭りの祭儀上の個々の要素とシナイのそれとを比較したらどうであろう！　そうすることによって、シナイ伝承がシケムでの契約祭にその祭儀としての場を占めているという我々の命題が、ある確かさを獲得しうると考えるのである、その確かさはこれらの事柄の中で得られるであろう。

最近イスラエルの仮庵祭の内容について数多くの叙述がなされてきているのであるが、そこで叙述されていることは、我々が現在取り扱っている祭儀が持っている神学的な枠をはるかにとびこえてしまっていることは明らかである。[44] とりわけ、古いシナイ伝承が知ることのなかった宇宙的諸要素、カオスの戦い、世界創造、またヤハウェの即位、諸民族の服従までもがそこで叙述されている。それゆえどの程度までこれらの宇宙的、したがって救済史的でない要素が、イスラエルの仮庵祭に属していたものであるかどうかを新しく探求する必要がある。[45] 根本的にはここでは次の点のみを述べればよいであろう。即ち我々が今取り扱ったこと、即ちシケムの契約祭の内容においては、「古い」、特別な意味でヤハウィスト的な新年祭が取り扱われているということである。古代イスラエルの信仰と祭儀が、土地取得の後、はじめは徐々に、カナン宗教の諸要素と一つに織り込まれていった、こまやかな吸収過程の様子は既知の事実である。いずれにせよ、モーヴィンケルやH・シュミットが明瞭に描き出したその祭りは、シケムの契約祭がその祭儀伝承と共に既に文学となってしまっていた時代にイスラエルで祝われていたと我々は考えるのである。

もし我々がシナイ伝承を古いシケムの契約祭の内容として理解しうるとすれば、この伝承の一つの小さな要素が新たに問題になってくるのであり、その点に関して最後に今一度短く述べねばならないであろう。申命記の最も重要なところで、しかも出エジプト記一九章以下の中心点(一九・六)においても、「聖なる民」の概念が述べられている。申命記の場合、その神学的思想がその周囲で転回している最終的な要請を、この概念が表現していると考えてもよいであろう。即ち誡律の告知と契約締結ののちに顕著な言葉が録されている。

「イスラエルよ、静かに聞け! 今日お前はお前の神ヤハウェの民となった。それゆえお前の神ヤハウェの声を聞き、わたしがお前に今日命じる戒めと定めとを行なえ」。(申命記二七・九)

しかもエホヴィストの伝承には次のような民に対する語りかけが見出される。

「お前たちはわたしがエジプト人にした事……を見た。それでもしお前たちがわたしの声に聞き従い、わたしの契約を守るならば、お前たちは全ての国民の前にわたしのものとなるであろう。なぜなら全地はわたしのものだからである。お前たちはわたしに対して祭司の王国となり、聖なる民となるであろう」。（出エジプト記一九・四―六）

文学上の問題については完全には解明されていない。既にモーヴィンケルは、ここが儀式的な定式と関連していると推測している。[46] おそらく、我々が申命記や詩篇五〇、八一、九五篇に見出したように、それは律法告知の前の勧告的序文（プロローグ）であったろう。[47] カスパリはこの言葉を詳細に総括している。[48] 彼は六節を二重の客語と解している。即ち、お前たちは(1)祭司たちの統治（職権）であり、(2)聖なる民である。彼はこれらの言葉に実際の職制が反映していると考え、それゆえ非常に古いとみなしている。このことは我々の推測するところと最もよく一致している。ノートもまた「神の民」という表現がシケムにおける古代のアンフィクチオニーの部族連合と符合すると述べている。なぜなら国家建設後にはこの概念が、祭儀的神聖同盟が部族間の一致に役立っていた時代に比べて、ほとんど説明されていないからである。[49] それゆえ神の民、「聖なる民」という表現を祭儀伝承の中に――それは我々が他の理由からシケムと結びつけねばならないと考えたものだが――見出すとしても、それは決して偶然ではないであろう。[50]

七　土地取得伝承の由来

土地取得伝承とシナイ伝承とが、根源的には全く分離した二つの伝承系列であるという我々の研究の第一の帰結は、シナイ伝承の本質と由来とを詳しく論じた結果によっても少しも揺らぐことはなかったのであって、むしろ確認されたのである。古代ヤハウェ―アンフィクチオニーの仮庵祭の祭儀伝承であるとされたシナイ伝承の諸要素は、土地取得伝承に対しては全く関心を示しておらず、いかなる内的関連もないと考えてよいであろう。この土地取得伝承もまた我々は一つの古代の祭儀伝承と考えねばならないであろう。即ちこの伝承も鋳型にはめられたような、固定した救済史像を伝承しており、それを産み出すことができたのは祭儀という宗教領域のもつ正典化の力のみであったのである。この二つの伝承の差異は非常に大きく、それを詳しく論じえない程であるが、ただ主要点について一言だけいえば、シナイ伝承は神のその民への到来を祝い、土地取得伝承は救済史への神の導きを祝うのである。シナイ伝承は直接的・人格的神の啓示、ヤハウェの法意志を含んでいるが、土地取得伝承は信仰において、昔の歴史的事実を神の救済意志から正当化してるのである。

土地取得伝承もまた聖所と関わる伝承であるとすれば、その伝承について一つの信ずるに足る起源を提示することができるであろう。しかしこの点でより大きな困難に出会うのである。それは土地取得伝承がその全体において一つの祭儀行為を包括する伝承では決してありえないということ、したがって歴史的な類似性を示す認定標識が数多く存在していて、それらをまだ処理しえないで残しているということ、そういう簡単な事実に部分的には理由があるのである。この伝承はそれ自体形式的にも内容的にも非常に単純である。しかし既に述べたように、これは一種の信仰告白（クレドー）であるため、それと歴史との結びつきを見出すことは、祭儀行為の全体を包括していた伝承の場合と異なって、さらに困難であるのは当然といえよう。

しかしながら我々が最も古いと考えた信仰告白（クレドー）、すなわち申命記二六章にあるそれは、それ自体、この伝承と祭儀行為とが有機的に結びついていることを示しているのであって、我々は幸運な立場にあるといわれねばならない。したがってこの伝承の根を祭儀に求めねばならないという事実には疑いをさしはさむ必要はないであろう。野の畑の実の רֵאשִׁית（初物）を捧げる時、敬虔な人々は土地取得が成就したことについて告白するのであり、あのよく知られた言葉を語るのである。しかし残念なことには、この儀式が一年のどの時期に聖所で行なわれたものであるか、この箇所は明らかにしていない。それが暦で定められた一年一回の祝祭であったのか、任意の時に行なわれる祭儀行為であったのかすらも明白ではない。ただもちろんこの後者の可能性が一般的な説明から妥当であるとは考えられないであろう。というのはヤハウェ祭儀は古い時代においては決して個人的なものではなく、明らかに共同体のものであったからである。では畑の収穫物を捧げる時、どうして個人もまた土地取得の成就を告白することができたのだろうか。さらにもう一つの疑問はもちろん申命記の中央集権化の傾向が集団的な祭儀様式の古いやり方を可能としたかどうかという点である。ところで旧約の全ての祭儀暦のうちで、特に農作物を捧げる祭りである一つの祭りがある。即ちかつては「初物の日」יום הבכורים[51]と呼ばれた収穫もしくは週の祭りである。その場合顕著な点は古い律法授与の表現や定義である。出エジプト記二三章一六節ではこの祭りは חג הקציר בכורי מעשיך（勤労の初穂の刈り入れの祭）と呼ばれている。ここでは、レビ記二三章一七節から明らかなように、小麦パンの形にした畑の実が考えられている。[52]その他特に無花果の初物を捧げるのがこの祭りの慣例であったようである。[53]申命記二六章のテキストはもちろん בכורים という見出語を含んでおらず、ראשית が用いられている。しかしアイスフェルトは申命記二六章の場合 ראשית という概念が、申命記一八章四節（ここでは「最上のもの」を意味している）の場合と異なって、「最初にとられたもの」と関係し、「それはエホヴィストの律法授与では בכורים と同じ意味である」[54]ことを確証している。さらに後期ユダヤ教の全ての伝承が申命記二六章五節以下とその儀式とを בִּכּוּרִים の奉献と結びつけていることは明らかであり、これらは無理なく連なっているのである。申命記二六章に現われている自然物の献納が出エジプト記二三章一六節、三四章二二節、レビ記二三章一七節の בִּכּוּרִים と重なり合っている点が確実に主張されるとすれば、[55] 今問題となっている儀式は、まさに古代イスラエルの祭儀制度によれば、週の祭りであることが明らかとなるのである。[56]

したがって我々の命題はこう公式化される。即ち申命記二六章五節以下にある信仰告白（クレドー）は週の祭りの祭祀伝説である。即ちそれは週の祭りに祝われたヤハウェ信仰の諸要素を包括している。したがって今日では申命記二六章五節以下が、いずれにせよある特定の祭儀的な機会に語られるべき「祈り」では決してなく、しかも間接的な意味でのみ感謝といえるとしても、実際は信仰の全く特定の客観的な対象を確定するものであることを考慮しておかねばならない。これは祭祀伝説の本質をなすものであって、しかもその伝説は共同体が信仰によって特定化し、客体化した事実を祭儀的祝祭の中心点、完全に現在的な内容としているのである。もちろん週の祭りは根源的にはイスラエル本来の収穫祭ではなかった。かくして我々はこの祭祀伝説の中に、イスラエルが古代カナンの祭りを自己のものとした歴史化を見なければならない。古代のヤハウェ信仰の観点からすれば、この歴史化が農業的な祭祀を自己のものとする上で、最も可能性のあるものであったということができよう。即ちその祭祀において共同体は実り豊かな土地の与え主となったヤハウェの救済史的な業に対して告白しているのである。

この内的同化の様式の時点については、いまだ何も言いつくされていない。この歴史化が過去においてなされたとしても、かなり後代のことであったろう。もちろんまず第一に、週の祭りの祭祀伝説として叙述されている土地取得伝承の特有の関心事に耳を傾けるなら、**土地取得伝承は**——もっと後代の人々に対してもっていたにちがいないような現在の意味とは関係なく——**土地所有の問題が本当に現実的問題であったところにその歴史的場と成立地点とをもっていたにちがいない**、と仮定してよいであろう。即ち土地取得を正当化することが逼迫した問題であり、したがって信仰がそのことに関して自己ないし他者に対して弁明、一種の宗教的確証を与えねばならないと考えた一つの場、時代があったということである。即ち我々はこの伝承が非常に古いものであるということを最初から示されているのである。土地取得が成就した時代より後の時代にこのようなことが問題とされる必然性が信仰にとってありえたであろうか。

しかし我々の考えによれば、土地取得伝承の本当の由来に関する問題に到達しうるもう一つの可能性が存在するのである。この伝承を詳細に調べて、それ自身が述べている地理的最終点——目標点を追求するならば、その手続きはたしかに方法論的にいって正しいであろう。なぜなら、その伝承が流布していた場所において特に祭儀原因譚的な意義をもっていたであろうという仮定は正しいからである。もちろんこれを探究する際に役立つものとしては、エホヴィストの著作に文学として把握されている後代の形態しかない。しかしそれがまだ古い伝承素材を保有していたという推測を最初から拒否することはできないであろう。

もしそうだとすれば、この伝承もまたシケムをさし示すのであろうか。とはいえ最初はなかなか良いと思われるこの仮定はいくつかの重要な事実と相反するのである。ヨシュア記二四章のシケムでの集会は、即ち伝承史的には(文学的にではない)、土地取得伝承の終結では決してないのである。既にゼリンは、本来的土地取得伝承とヨシュア記二四章との間には一つの分裂があると仮定し、それを理由づけている。[57] 一つの町の授与とその町へのヨシュアの移住とが[58]ヨシュアの公的活動の終結ではなかったろうか。ヨシュア記一九章五〇節を読む者は、このヨシュアがヤハウェ信仰のもとに諸部族を一致させることをもって彼の生涯の主要課題としたと想像できるだろうか。さらに長い救済史の過程において不思議な導きの対象であった諸部族が、異国の神々を排除するよう要求され、彼らの神の律法意志をそこで初めて体験するなどということが、土地取得伝承からいったい理解されるだろうか。またヨセフの遺骨の埋葬も土地取得物語の中に含めることはできない。「いったいその間彼の遺骨はどこにあったのだろうか」。[59] この小さな障害は、また、根源的にはヨシュア記一章以下に見出されるような土地取得に関する叙述とは調和しない一つの伝承領域が存在することをはっきり示している。とりわけその場所である！　シケムはいったいそれ以前の土地取得の叙述において役割を果たしているだろうか。ヨシュア記一章から後において個々の伝承が進行している場はベニヤミンの領域であり、この原因譚の本来的接点としてはギルガルの聖所を考慮に入れるべきである。シケムへの移行とともに我々は世俗史的にも伝承史的にも全く異なった領域に入っているのである。[60] それゆえヨシュアの集会の物語は、シナイ断片（ペリコーペ）が他の場所に入れられたように、全く関係のないものが土地取得伝承の中に入れられたのである。

　しかし我々が土地取得伝承の本来的接点に関する問いに、その伝承からして方法論的に正しく、したがって有機的に答えるならば、それははっきりとエリコの近くのギルガルを示してくれるのである。これは事実この伝承の最終かつ目的地点なのである。ヤハウィストもエロヒストもこの目的地点と結びついており、この目的地点はそれによればその伝承の中に以前から述べられていたにちがいないのである。エホヴィストの伝承によれば、イスラエルはヨルダン渡河ののちギルガルを目標としたのであり（三章）、そこで一つの聖所が建てられ（四章）、民はそこで割礼をうけたのである（五章）。またギルガルには「陣営」があり（九・一六、一〇・六、九）、イスラエル人たちは戦いを終えたのち、再びそこに戻って来ている（一〇・一五）。しかしここで初めて我々は重要なことに出会う。即ちエリコの近くのギルガルにおいてヨシュアは古い伝承によれば諸部族に土地割り当てを行なっている。後代の多種多様な輻湊があるとはいえ、伝承はこの点を明らかにしている。はっきりした箇所ヨシュア記一四章六―一四節の他に、一八章二―一〇節もあげるべきであろう。これは表面的には祭司法典の筆になっているが、これと関連のある場所は元来はシロ[61]――ここには「陣営」はなかった――ではなくして、ギルガルであった。[62]しかもこの伝承の最後においてイスラエルは再びギルガルに位置している。即ち士師記一章はギルガルを前提としているようであり、[63]士師記二章一節ではギルガルの名がはっきりと記されている。

この限りにおいてこの伝承の実情はこうである。即ちギルガルにおける出来事が土地取得伝承の最終点であるということである。より正確にいうならば、この伝承の本来的視界は土地取得というより、むしろヤハウェの意志決定による諸部族の土地割り当てである。その関心事は究極においては土地取得の政治的面――その際ヤハウェの救済を描くことがそれであっても――ではなく、ヤハウェの意志の直接的告知によって諸部族の境界の内的正当性を示すことであった。この伝承の背後にどのような実際的な歴史的背景が存在するかは、残念ながらまだ明らかにすることはできない。しかし我々が全く具体的、宗教的、土地法上の問題を考慮に入れなければならないことは確かであろう。なぜならこのように精神的苦労までして、この状態を正当化しようとするこのような伝承は必然性がなくてはできないことだからである。ではヨシュア記における全ての顕著な部族間の境界組織は適切ではないのだろうか。アルトはそれが歴史的には王国建設以前の時代に成立したのにちがいないことを示し、全く具体的に輪郭のはっきりした領域についての境界上の要請として理解しなければならないことを教えたのである。[64] このような権利主張が、何度も繰り返されて行なわれる祭儀的・宗教的行為によって、確認されたということ、つまりギルガルの聖所でなされたということについては多くのことが証明している。ヨシュア記の叙述に常に述べられている（特にヨシュア記一八・六、八、一〇参照）籤引きは実際行なわれた祭儀行為に遡るにちがいないし、その際土地取得伝承が正当化の機能を果たしたと仮定してよいであろう。しかし土地取得伝承がその根源的な場をエリコの近くのギルガルに占めていたとすれば、それは特にベニヤミンの伝承であったのであり、後になって初めて全部族連合と結びつけられたと考えてよいであろう。[65]

統一的とはいえないにしろ、土地取得伝承が祭儀に根ざしているという我々の結論（週の祭りの伝説、ギルガル由来）は、最初見たところではあまり受け入れがたいように思えるであろう。しかし宗教史的問題を詳論する場合に、あまりにも画一的な後代の文章構造に捉われることのないよう、警告を与えることができるのである。祭儀史を通じて伝承のたどって来た道の各段階について――特に非常に中心的な神学的意義をもつ伝承を取り扱う場合――その伝承が分岐したことがあるのだろうか、いかにして分岐したのだろうか、その伝承とは元来異質であった祭儀と一度も合流したことがないのであろうか、等々について我々は何を知っているであろうか。この疑問を解決してくれたのは、最初はその結果を考慮することなしに歩んで行かねばならなかった二つの私道であった。さてその一方の結論に対して確かに次のような事情が妨げになっているようである。即ち我々はイスラエル史において、ギルガルの聖所が大きな役割を果たしていた時期については、一時期即ちサムエルとサウルの時代を知っているにすぎないという事情である。(66) しかしこの祭所がかなり古い時期に遡る一つの伝承に堅く根ざしているとするならば、しかも非常に古い宗教法的な儀式と結びついているとすれば、その他に証拠がないからという理由によって、このような伝承を最初から正しくないとすることはできない。――土地取得伝承と週の祭りとの癒着はギルガルにとっては二次的なものであったであろう。

八　文学の形成

ヤハウィストはイスラエルにとって一つの区切りを示しているが、このようなことは我々が諸民族の精神史において常に繰り返して見るものである。即ち古い、時には散在していた諸伝承が一つの力強い構成作業によって、高度の思想のもとに集成され、文学となったのである。この場合、かつて宗教と結びついていた精神材が専らその対象となったイスラエルでは、この著しい変化は特に徹底的なものであった。それが特に可能であったことについては、もちろんそうさせる前提が素材自体の中に存在していたにちがいない。ヤハウィストの場合なされたように、古い諸伝承が集成され、新しい統一体に構成されたとすれば、それらの伝承とその祭儀との接点の間に、かなりのゆるみが入り込んできていたからにちがいない。いずれにせよ、ヤハウィストが伝承を自己のものとして取り入れることができたのは、このような素材を専ら祭儀的な出来事という精神的な場でのみ理解し、体験することのできた時代が既に過ぎ去ってしまっていたからである。もしヤハウィストの時代を、自分の好む時代に年代決定することが許されるとしても、ヤハウィストに包括されている伝承の年代に比較して、それはかなり後代の様相を示している。実際諸伝承の内部的な成長を考慮に入れるならば、文学に形成させることによって、伝承の発展がかなり強制的にうち切られてしまったといってよいであろう。

もしこの過程が文学として固定化することなく進行したとするならば、予定通りにこれらの伝承が歩んだであろう道について考えてみるのももちろん良いことであろう。(67) 祭儀と結びついた領域からの解放は、その時その時の伝承にとって、明らかにその伝承のもつ内容の精神化を意味したし、重苦しくまた素材的にも制限された祭儀領域からの脱出は、まず第一に非常に幸運な解放であり、その素材の中に含まれているものが思いもよらぬ展開をする可能性を意味したことは誰も否定できないであろう。しかしもしそうであったならば、もちろんそれらの伝承の歩んだ法則によれば、ますます内的に発散していったであろう。このような精神化は同時に素材の本質を侵食する危険な分解作用である。なぜならあらゆる精神化はまた合理化でもあるからである。人間はそれらの素材に対してもはや畏敬の念に満ちた感動を素材に示すことができず、それらを操作して、彼の理性の必然性に対応させて変形することを始めるのである。この点について、この過程が良く理解される一つの例を見てみよう。それはマナ物語である（出エジプト記一六章）（訳注エホヴィスト　四―五、一三b―一五、二七―三〇　祭司資料　一―三、六―一三a、一六―二六）。エホヴィストのマナ物語はまだ即物的に理解されるであろうし、歴史的重要性を多くもっている。しかし祭司資料の把握は全く異なっている。事件はもっともらしく具体的に描かれるが、しかしそれにもかかわらず、いかなる読者も、その外観には拘泥せず、かくされた精神的意味を受け取ることができるのである。場所的・時間的な枠の中でおこった奇跡は、何か普遍的な、時間の制限を受けないものになっているのである。ここで語っているのは物語者ではなくして、完全な神学者であり、彼の反省を歴史的な物語という透明な着物の中に着込んだ一人の人なのである。[68] しかし申命記記者はこの立場を越えてさらに一歩外に踏み出しているのである。

「……そこでヤハウェはお前を苦しめ、飢えさせ、お前もお前の祖先たちも知らなかったマナを食べさせた。人はパンだけでは生きず、ヤハウェの口から出る全てのものによることをお前に知らせるためであった」。（申命記八・三）

祭司資料がその外形上の叙述において、物語の古い形態を完全に保持している――その精神化は物語をかなり透明化することにある――のに対し、申命記では古い意味は全く捨て去られてしまっている。あの当時の物質的な出来事の背後にいかに重要な精神的意義が実際存在したかを、腹蔵なく述べているのである。したがって、古い単純な出来事があの精神化によって、美しく重要なものに拡大視されたということを安心して結論することができる。とはいえそれが同時に明らかに分解過程に落ち込んでしまったことに異論を唱えることはできない。そして結局は、かなり支離滅裂の状態で、なおかつ一つの全く新しい思想のにない手となったのである。(69)

この文学形成の過程をこの方向から見るのも良いであろう。ヤハウィストは祭儀から解放された素材を捉え、彼の文学構成の厳格な括弧の中に入れたのである。しかし彼が伝承を文学とすることによって、いかなる分解作用を阻止しえたかはただ予想しうるのみである。しかし我々にとって推測のみが頼りであるとしても、次の点は仮定しうるであろう。即ち祭儀的な素材に対してはかなりの精神化が既に進行していたけれども、なおその精神化は歴史的なものをも変容するまでにはいたらず、その素材が非常に具体的な形で、しかも一回性という重みを失っていない段階、そういう時にヤハウィストがそれらの素材を自己のものとしたということである。

九　ヤハウィスト

ヤハウィストの仕事が一人の収集者、もしくは一人の書記の仕事であったかどうかという古くから問われてきた問題は、一方ではグンケルが、他方ではR・キッテルが答えているけれども、(70)それほど簡単なものではないことは自明のことである。グンケルの場合、神学的な目的意識が存在すること、個々の素材が非常にわずかの根本思想と結びついていることを考慮せずに放置した点は重大な欠陥の一つであった。この大規模な構成を結びつけている根本思想はもちろんヤハウィストの天才的な神学的独創性によるものではなく、またそれを構成する多くの可能性があってそのうちから一つだけ選ばれたのでもなくして、それ自体最古の伝承材であり、それゆえ唯一の可能性である。我々がまず第一に確認できることは、ヤハウィストの概略図、即ち全体をになっている彼の基礎が土地取得伝承をふまえているということである。彼が非常に数多くの、いろいろの種類の、種々の由来をもった個々の伝承をこの概略図に付け加えていった時、これらの伝承のうちで最も重要なものにさえ、土地取得伝承と同様の、もしくはそれ以上の権利を与えるようなことはなく、これらをこの土地取得伝承に仕える肢として秩序づけたのである。どうして混雑を来たすほど多くの伝承がそこに付け加えられ、しかもそれ自体形態をそこなうことなく、その基礎となった土地取得伝承と強く結びつくことができたか、つまり土地取得伝承の単純な透明な思考方法が優位性を保ち、しかもヤハウィストの神学的な基本線においても変容されることなく残存したことは驚嘆すべきことである。

我々はヤハウィストの根底に横たわっている古い土地取得伝承についての知識を基礎として、一人の偉大な収集者、形成者というあの仮定を中止して、むしろゆるやかな、匿名の成長過程を考慮に入れるべきではないかどうか、この資料は、古く短い信仰告白(クレドー)から漸次多くの世代にわたる仕事によって、古い伝承素材を広く収集して構成されていったのではないかどうかを問うことができるであろう。しかしこの仮定には大きな疑念がある。もし個々の素材が沈澱物のように、もしくは堆積物のように集まってきたのであったとすれば、その姿は本質的に異なったものであったであろう。そうだとすれば我々はさらにどこかに諸伝承の堆積を確認することができるにちがいないであろう。しかし後代の沈澱物から古い根幹のようなものを分離することはどこにおいてもできないのである。否、我々の見るものは非常に数多くの個々の素材であり、それらは一つの古い伝承の図式に従って一つの全体像へと集められ溶け込まされているのである。この意味では個々の構成素材は全て一つの平面に横たわっているのである。ここに一つの構想が働いており、この構想へと向けられているこのような巨大な仕事は自然的な成長によって偶然できているのではない。ヤハウィストが現在包含しているような非常に異質な素材がどうして自分からその中に溶け込む必然性があったであろうか！

しかしヤハウィストが彼の著作に取り入れた個々の伝承全てを取り上げ、その由来を規定することは、この仕事の埒外にあるであろう。しかし彼以前にそれ自体長い生成過程を背後にもっていた大きな伝承複合体が存在したことは決して疑いえないところである。このような例をペーデルセンは出エジプト記一―一四章の物語の内的な完結性を示すことにより、またそれが過越祭の祭儀に由来していることを示すことにより、教えている。[71] 出エジプト記一―一四章はそれ自体まとまった伝承連関を示している。即ちその主題はエジプトからのイスラエルの脱出であり、その最終―最高点はヤハウェの敵に対する勝利である。ここに我々は土地取得伝承とははっきり区別される独自の出エジプト伝承を持っている。しかしそれが素材的には親近性をもっているために、特に容易に土地取得伝承の図式に付け加わることができたのである。かつては独立していた伝承が切れ目なく継ぎ合わさっているところはここ以外では容易に見出すことはできないであろう。――もう一つの、ヤハウィストが既に多かれ少なかれ形成されたものとして受け取った、より大きなまとまりをもつ伝承としてバラム物語がある。このような古い素材の受容と関連づけは比較的問題とならない出来事であった。しかし興味あるのは素材的に土地取得伝承の図式に容易には秩序づけられない伝承を関連づける場合である。このような内部構造の変革は、古い図式の破壊をもたらし、かつてはかなり範囲の狭いものであった神学的基礎を強度に拡大することになったのである。このことは三つの主要な点において確認しうるのである。(a) シナイ伝承の併合、(b) 族長物語の付加、(c) 前歴史の包摂である。

(a) シナイ伝承の併合

我々の研究の第四部において、シナイ伝承を一つのかつては独立していた宗教伝承として理解すべきであること、つまり仮庵祭における古いヤハウィスト的な契約更新祭の祭祀伝承として理解すべきであることを見てきた。この伝承が決して――いかにそういうことが考えられるとしても――土地取得伝承の一部ではないということについては信仰告白（クレドー）の様式や、詩歌等におけるその種々の変化で示すところである。ヤハウィストがどこから、そしてどのような形でこのシナイ伝承を受け取ったのか、この点に関してはほとんど答える見込はない。ただ次のことだけは多少確実にいえるであろう。即ちシナイ伝承を土地取得伝承に受け入れたのはヤハウィストの仕事であると考えられるべきこと、つまりこの二つの伝承の結びつきがヤハウィスト以前に行なわれて、彼以前に存在していたのではなかろうということである。詩歌における救済史に関する種々の叙述に今一度眼を向けてみよう（詩篇七八、一〇五、一三五、一三六篇、出エジプト記一五章、サムエル記上一二・八、ヨシュア記二四章）。それらは多かれ少なかれ全て土地取得伝承の正典的な図式に従っており、全てシナイ断片（ペリコーペ）を無視している。そのことは、シナイの出来事のもつ重要性とは決して比較にならないような小さな出来事さえ叙述するにやぶさかでないことを考えると、顕著なことといわねばならない。捕囚期の詩篇一〇六篇とネヘミヤ記九章の祈りにおいて初めてシナイ断片（ペリ片（コーベ）は救済史の出来事として述べられている。このことは、この二つの伝承が結びついたのが決して古い、ヤハウィスト以前のことではないということを意味している。ヤハウィスト後の時代にもそれが救済史に関する慣例的な表現の中ではほとんど取り上げられなかったけれどもである。否、ヤハウィストがシナイ伝承を土地取得伝承の中に溶解せしめたのであるが、人々はその後なお長い間それに慣れることができなかったのである。捕囚期の頃になって初めてこの二つの伝承の結びつきが一般化したのである。そしてさらに——もし文学以前の段階で溶解が行なわれたとしたら、これらの伝承が現在の形態においてよりも少しは有機的に結びついていたのではなかろうかと考えられないであろうか。シナイ断片（ペリコーペ）を挿入することによって生じてきた実際的な不均衡と裂け目については既に述べたが、[72] 今はカデシ伝承の分裂の場合を考えるだけで十分であろう。そのことは素材を内的有機的に同化するということがまだなかったことを示している。この結びつきは純粋に著作上、文学上のこととしておこったのであり、文学的著作になっても、それ自体で独立したシナイ伝承の鋭い輪郭と重みとが残っているのである。

形式的にはこの両者の伝承の相互関係がなお最後の均衡を欠くとはいえ、神学的にはシナイ伝承を受け入れたことは力強い豊富化を意味している。土地取得伝承はヤハウェの恩恵意志を証言し、シナイ伝承の中心点にはヤハウェの法意志が存在している。シナイ契約伝承を受け入れることによって、土地取得伝承の単純な救済論的な根本思想は一つの力ある救いに満ちた基礎構造をもつにいたったのである。ヤハウィストが彼の伝承の図式に従って述べていることすべて、特に彼の伝承の視界即ち土地取得そのものは、今やシナイにおける神の啓示の陰にはいってしまい、すべては人々に意志をもって要求し審きへと導く神の救いの業として示されている。この二つの伝承を並置することによって聖書全体の告知の二つの根本要素が示される。即ち律法と福音とである。

(b) 族長物語の付加

古い土地取得伝承の伝統的な構成部分に、族長時代に関することが以前から有機的な構成要素として言及されていたのか、もしくはこの伝承はシナイ伝承がかつてそうであったように土地取得伝承とは異質のものであったのだろうか。詩篇七八篇を見るならば、このような問いを提起することができるであろう。なぜならここでは歴史的出来事の叙述はエジプト脱出に始まっているからである。即ち族長とシナイ伝承は欠けている。詩篇一三六篇の場合も同様であり、族長物語の欠如はこの詩篇が世界創造から始まっているだけに顕著である。しかしこのように類型が自由に転化した詩篇から、この物語の出発点に関する問題に答えようとするのは、結論をあまりにも急ぎすぎるといわねばならないであろう。むしろ逆に、土地取得伝承に関するさらに広範囲にわたる詩歌を、その根源点に関する問題と関係づけて考えようとするならば、土地取得伝承がいずれにせよ族長伝承に対して、シナイ伝承に対してよりも、有機的な関係を持っていたにちがいないことが明らかになるであろう。なぜなら出発点を族長時代にしているにもかかわらず、シナイ伝承を知らない一連の表現様式が存在しているからである。[73] ただこれに対して後代の詩篇一〇六篇のみがエジプトにおける圧迫から始め、シナイの出来事を風刺している。このことは土地取得伝承と族長伝承との結びつきが非常に密接であったにちがいないことを我々に示してくれるものである。

我々は信仰告白(クレドー)の短い、簡潔な描写――そこからもちろん種々の伝承部分ないしは小部分が付加されて、こまやかな入念な変化が生じてきたのであるが――に即して考えてゆくのが良いであろう。何が信仰告白(クレドー)にとっていわば最小欠くべからざるものか(Existenz minimus)を示してくれるのは、入念な描写ではなくして、最も簡潔なものであって、ここにおいて初めて出発点に関する問いを正統になしうるのである。したがって我々は自ら再びこの著作の最初の出発点、申命記二六章五節に戻っていくのである。もちろんこの本文がこの信仰告白(クレドー)という同じ類型の他の全てのものよりも絶対に優れているという支点は我々には欠けている。しかしこの短い簡潔な様式や、それが有機的に古代の祭儀行為と結びついているということから、それがこの類型の原型にかなり近いものの一つであると見ることができるのである。碑文調の簡潔な最初の部分 ארמי אבד אבי から最後にいたるまで、この信仰告白(クレドー)には全てのことが互いに緊密に結びつき、一つが他に有機的に続いていて、鋭い目でもってしても、かつては独立していた諸伝承が結合したのだと結論させるような、そのような接ぎ目は何ひとつ見つけることはできないほどである。まさに最初の部分――後に民となる放浪の族長――が構成上特に重要な部分であり、絶対的な根源性をもっているという印象を与えている。信仰告白(クレドー)が現在示している完全に破綻のない形態が、族長時代に始まる出発点が最初から信仰告白(クレドー)の有機的な部分であったという仮定を正当化しているように思われる。このことはまた、申命記記者のように土地取得をこえてより広い範囲を取り扱っていることを別にしても、その叙述が非常に簡潔なサムエル記上一二章八節が示している。ここの場合でもその出発点は同様である。「ヤコブがその息子たちとエジプトに行った時……」。ヨシュア記二四章の叙述はもちろんそのままこの両者と同様に論ずることはできないであろう。多くの回想を取り入れて古い図式を引き伸ばしていることは、これがこの類型の歴史の中ではかなり進んだ段階であることを示している。しかし修飾的な二次的なものから目を転ずるならば、信仰告白(クレドー)の重要要素として我々が前述したことが明らかになってくるであろう。即ち族長時代、エジプト、脱出、土地取得である。ここでも我々は族長時代が述べられていることを、単純に修飾的な拡大であるとみなすことはできない。ましてここに取り上げられている伝承が六書的であるとは思われないということはできないのである。[74]

それゆえ我々の結論として、土地取得伝承はその最初から出発点を族長時代、つまり申命記二六章やサムエル記上一二章八節が示しているように、全く単純にヤコブから始めているのである。これはヤハウィスト以前から存在していた伝承であり、その伝承の中で既に正典のようなものになっていた要素である。この要素の上に彼は自己のもつ素材を積み上げることができたのである。では彼の特別の仕事はどこにあったのかを次に見てゆかねばならない。

ヤハウィストが提供している限りその族長物語の要素の構成については、文学上の点に関してグンケルの労作がかなり徹底的に取り扱っている。[75] アブラハム物語は本質においては二つの群から成り立っている。即ち一つはアブラハム群、他の一つはロト群であり、それにさらに種々の独立した古譚素材が追加されている。イサクについては二つの古譚（創世記二六・六―一一、一二―三三）だけが残っているが、現在の形ではヤコブ物語という大きな構成の中に含められてしまっている。このヤハウィストのヤコブ物語は四つの構成要素から成り立っている。(1) ヤコブ―エサウ群、(2) ヤコブ―ラバン群、(3) 聖所古譚、(4) ヤコブの子供たちに関する二、三の古譚である。[76]

族長物語のうちで最もよくまとまっているのがヨセフ物語である。しかしこの場合でも種々の伝承が一緒に集められているのは他の場合と同様である。[77] それゆえ形式的―文学的にも、神学的―内容的にも、どこにヤハウィストの労作を見出すべきかが我々の問いなのである。これに答えるには更に二、三の点について詳しく述べねばならない。

族長物語を内的に理解する場合一つの重要な役割を果たしたのは、「族長たちの神」に関するアルトの労作であった。それによれば我々は「族長たち」が諸部族による土地取得以前の時代から啓示の受領者であり、聖所の創設者であったと考えねばならない。土地取得以後にこれらの族長たちの人物像や、彼らの祝った祭儀の名残りがカナンの聖所の聖所古譚と溶け合ってしまったのである。つまりそれ以来イサクはベエルシェバ、アブラハムはマムレ、ヤコブはヨセフの家の移住地域にまとまって存在する聖所と結びついているのである。[78] このような仕方で成立した宗教伝承と、主としてアンフィクチオニーの中央聖所にその場を占めていたヤハウェ信仰とが溶解したのは、古代イスラエルの祭儀史ではかなり後代の段階においてであったろう。[79] しかし、これらの古い諸伝承がそれより後のヤハウェ信仰によって受け入れられた様式が、ヤハウィストの場合、エロヒストと同様ではないにしても、[80] 文学として資料に固定していることは、このような溶解過程が既に完結したものであったことを示している。したがってあの古い古譚素材をヤハウェ信仰を通して完成し、透視したのはヤハウィストが最初であったと考えることはできない。したがってまた啓示の受領者として元来は互いに関連なく存在していた人物たちを、あの有名な三組として系図的に結びつけたのもヤハウィストの文学的な業績によるのではない。単純にヤコブから始めている最古の形の信仰告白(クレド)は、このことをまだ知ってはいなかったと思われる。しかしアルトは、これらの伝承が一つの系図的な全体にまとめられたことをいかに考えるべきかを、示したのである。[81] 数多くの部族の巡礼の、より長く、したがってより多くの目標となった二、三の大きな聖所では既に、種々の族長伝承が徐々に接近し同化していったにちがいない。特にアルトはベエルシェバを指摘し、そこでは北(ヤコブ)、南(イサク)とその近隣のユダヤ(アブラハム)の巡礼地として、伝承の内的な結合過程が要求されたにちがいないとしている。ヤハウィストが族長に関する多種多様の伝承を系図的な配列、アブラハム—イサク—ヤコブという意味で秩序づけたという点においても、彼は決して改革者ではなく、彼以前に存在していた伝承の基礎の上に立っているのである。

もし我々が個々の古譚の構造を検討するならば、より確実な根拠を得ることができるであろう。アブラハムの場合、アブラハム群とロト群とはヤハウィスト以前に結合していたであろう。[82] しかし現在創世記一五章がアブラハム伝説の内部で占めている特に中心的箇所、さらに、一方においては約束の遅延により、他方人間の側からの拒絶によって生じた緊張関係──創世記一二章一〇節以下の不信仰による約束の危機、創世記一六章一節以下の信仰薄弱による強引な目的達成、即ち一般にアブラハム伝説を結びつけている力強い神学を想起するだけでよい──、いずれの場合にもヤハウィストの神学的な秩序力が働いているのである。ヤコブ伝説の場合にはこれほど簡単ではない。しかしここでもヤハウィストがこの大きな構成を自分で作り上げたであろうと仮定するのは誤解を招きやすい。ヤコブ―エサウ群とヤコブ―ラバン群との結合はかなり以前に行なわれたことなのである。[83] したがってヤハウィストは、元来は異質のものであった素材と既に有機的に結びついていた他の多くの伝説素材を、自由に使いうる立場にあったであろう。この場合でもヤハウィストが構成に参与したと考えることは不可能であって、推測しうるのみである。ただ最もありうることとして考えられるのは聖所伝説を挿入した場合である。ヤコブ伝説の構造において、ベテル伝説やペヌエル伝説は、この族長が神と共に歩んだ歴史の標石となっているが、これは単純な成長過程の結果ではなく、意識的な神学的実用主義を顕わにしている。人間的な判断によれば、全てのものが失われ使い果たされてしまった生涯の最も深い所で、ヤコブはアブラハムへの約束の証言に出会っている(創世記二八・一三以下)。しかし長い奉公期間の後やっと初めて、彼は精神的にもそれをうける準備ができたのである。創世記三二章一〇―一二節の祈りはヤコブ物語の全体にとって模範的な意義をもつ。(84) そして人間によって卑められたものとして神の攻撃をさえ耐えたとき、——創世記三二章二五節以下の叙述においてあの幽霊のような人の中と背後にあってヤハウェがヤコブに働きかけていることは疑いない——、そのときはじめてヤコブからイスラエルとなったのである。

ヤハウィストがヨセフ物語において、全ての本質においては仕上がった、それ自身完結した小説を、彼の著作に繰り入れたということは一般に認められていることである。つまりそれを読む者は、それがつまりエジプトにおいて民となったということへの橋渡しとして立派に役割を果たしていることを感じとるであろう。しかしさらに見るならば、それにもかかわらず、それがそれ自身で意味をもっているのであり、あの橋渡しは副次的なこととして用いられていることは明らかであろう。これは導きの物語であり、全ての緊張関係を解きほぐす「解決」を最後にもっている神の providentia を証言するものであり、したがってそれが人間の内的な魂の問題の深淵が神の摂理の働き場所であるという点において、他の創世記の説話よりも円熟している。ヤハウィストが彼固有の神学的な線による構成をいかに考えていたかについて、ヨセフ物語は格好の例である。彼はまさに集成者でもあり、そのようなものとして彼は集めてきた単元を相対的なそれ自体独立したものとしても取り扱っている。たとえその際彼が全ての素材を神学的な基本思想、即ち土地取得伝承に究極的内的に結びつけることに成功していることが明らかであるにしてもである。

しかしなお、ある程度の確かさをもってヤハウィストの手に帰することができるその全てを述べたわけではないのである。我々はまだ、おそらくもっと重要な事柄、即ち全ての族長物語と土地取得思想との内的な結びつきについては述べていない。土地の約束はまず最初にアブラハム出立の物語に響いており、[85]我々はこれを特にヤハウィストの仕事と判断してよいであろう。[86]次いで契約締結の厳粛なる場面において予定通りそれが現われてくるが、[87]それ以来族長物語において繰り返され、この思想とは本来非常に異質のものであるヨセフ物語にまで続くのである。[88]

「そしてヨセフは兄弟たちに言った、『わたしはやがて死にます、神は必ずあなたたちを顧みて、この国から連れだし、アブラハム、イサク、ヤコブに誓われた地に導き上らせるでしょう』」。（創世記五〇・二四）

この叙述はヤハウィストが族長物語を相互に結合するために付け加えたものであるが、教えるところが多い。なぜならこれは、アルトが指摘したように、イスラエル部族が祝ったヤハウィスト以前の祭儀の最後の痕跡が認められるあの族長の神の伝承要素を同時に含んでいるからである。その際次のように問われてよいであろう。族長伝説における土地取得思想もあの最古の宗教伝承から由来しているのではないだろうか。創世記二八章の土地約束の叙述を読むと、このような仮定がありうるように思われる。なぜならここでもそれがある種の仕方で、族長の神の叙述と固定的に結びついているからである。

「そしてヤハウェは彼らの傍に立って言われた『わたしはヤハウェ、お前の父アブラハムの神、イサクの神である。お前の伏している地をお前とお前の子孫とに与えよう』」。

（創世記二八・一三）

この要素が古いカナンの祭儀伝説に属していなかったことはたしかであろう。これが、ある特定の場所と結びついた ἱερὸς λόγος の一部分をなしていたということがありうるであろうか！むしろヤハウィスト以前の族長宗教の純粋な要素がここに存在しているのであり、農耕地域に侵入しようとする半遊牧民に、彼らの憧憬の目的を保証しているのである。[89] それゆえ族長伝説そのものにおける土地約束の要素は決してヤハウィストの自由な創作ではなく、おそらくありうることと考えるかもしれないが、土地取得伝承の要請を過去にさかのぼらせたのではなくして、最古の伝承に属するのであって、ヤハウィストはここでそこに立ち戻って把握しているのである。[90] しかしこの古い伝承要素の文学的な評価に関する問いは別のことであって、ここにヤハウィストの族長古譚における土地約束の叙述をヤハウィストの自由な創作としようとする原因があるのである。もちろん今ではあの元の約束――そしてこれが最も重要なことなのだが――は、それが土地取得伝承に後代になって包括されることによって、著しく壊われてしまっているのである。もちろん族長伝説における土地約束は元来非常に直接的な、その場かぎりの約束であったであろうし、彼らがもう一度その土地を出て二回目にその地を占拠するなどとは考えていなかったであろうことは明瞭である。[91] この族長伝承が古い土地取得伝承の図式に添加されることによって、あの最古の約束はその古い視野から離れてしまったのである。それを読む者はこのことを間接的に理解するにちがいない。なぜなら読者はこれをヨシュアの指導で現実となった土地取得に結びつけるからである。それゆえ族長たちと彼らの住んでいる土地との関係は今のところ何か仮のもの中間状態以上のもののように思える。祭司法典が初めてこれをאֶרֶץ מְגוּרִים（寄留の地）という概念でもって神学的に一つの明瞭な概念に引き上げたのである。[92] ヤハウィストの場合も当然事情は同じである。なぜなら全族長時代はもはやそれ自体でまとまった意味をもっておらず、ヤハウィストの著作全体の最後において語られている成就に対する約束として存在しているからである。ヤハウィストは族長に関する伝承内容から、それに元来属していた要素を取り去ったように、他方その伝承内容に元来なかった部分を付け加えたのであった。即ちその中でかつて意味されていた約束要素を越えて、一つの成就に向かって整頓したのである。族長時代が全体的な諸部族による土地取得を指向しているばかりでなく、このことに関する族長の契約を強調することによってシナイ契約への直接的な暗示がなされているということが考慮されねばならない。[93] そのことによって、神が族長と関係をもったということ全てが仮のものとして示されており、その関係は、神の啓示と、それを族長たちの子孫が自分のものとすることによって初めて成就したのである。

ヤハウィストが文学的にも、また彼によって付加された素材を見ても、彼以前に存在していたものに非常に依存していることがわかるならば、それらを精神的に変革し神学的に貫徹しようとする彼の関心を過大評価することはできないであろう。信仰告白(クレド)の単純な出発点からヤハウィストにおける族長物語の形成に至るまでは非常に長い過程なのである。[94]

今一度ヤハウィストの族長物語に対する関与を述べるならば次のようになるであろう。便宜上箇条書きにしておこう。

1　信仰告白(クレド)それ自体にある項目を広範囲にわたって拡大している事実。
2　個々もしくは全体においてヤハウェの導きが明らかになる伝承素材を内的に整理整頓していること。
3　諸伝承素材を、族長の神および土地約束という考えによって結合していること。

4　族長伝承が、土地取得という成就に対する約束として方向づけられていること。

5　約束と成就という意味において、族長契約がシナイ契約と関係していること。

(c)　前歴史時代の包摂

ヤハウィストによる前歴史時代が元来は独立した一連の素材群であったことについては今日特に詳論する必要はない。全体的にみれば次の九つの単元から成り立っており、これは既にグンケルが古譚史的にそれぞれ区分したものである。(95) (1) 楽園物語、(2) カイン物語、(3) カインの系図、(4) セツの系図、(5) 天使の結婚、(6) 洪水物語、(7) ノアとカナン、(8) 諸民族表、(9) バベルの塔物語。ヤハウィストが利用できた直接的な文学的手本があったかどうかという問いは、ここでは未解決のままにしておかねばならない。しかし個々の素材についてこのような手本が存在していた蓋然性を疑う可能性については、ラス・シャムラの発掘後、ほとんど根拠がない。むしろこれらの個々の素材を一つの終局に向かって構成・方向づけたのが、ヤハウィストであったことは全てのことから示される。かつては相互に離れて存在していた要素が互いに結びつこうとする動機が、ヤハウィスト以外にいったいあったであろうか。それゆえ創世記二―一一章の構成全体が既にヤハウィスト以前に考えられていたというのは仮定の域を出るものではない。この仮定は、その他の所ではヤハウィストを支えている根本伝承がまさにここの所では欠けているという事実によって、成立しがたいのである。さらにもし二、三の素材がヤハウィスト以前既に一緒になっているとすれば、それらは、現在の状態よりもはるかに、相互に調整し、融合しあっていたであろう。しかし実際はいかにそれらが相互に融合しないものであるかをグンケルは個々について示したのである。[96] これらの素材がヤハウィストの時代、族長―モーセ伝説のようにポピュラーであったかどうかは疑わしい。これらは全く異なった文化、宗教圏から出て来たものなのである。

それゆえ我々はこの研究領域において獲得しうるある確かさでもって、モーセや族長伝説の場合よりも確実に、個々の伝承が「前歴史」として集成されたのはヤハウィストの秩序化によったということができよう。[97] 同時にヤハウィストが主題とした一つの根本思想、即ちこの世の中で罪が力をもつようになったことについては、ここでは注釈を必要としないであろう。しかしそれは――ヤハウィストの視野が宇宙的な広がりをもっていたことを好意的に示すとしても――ヤハウィストがその考えに従った彼の一面性と排他性とを強調することになるであろう。彼が編纂した全ての素材は、その多様性にもかかわらず、ただ一つのこと、即ちいかにしてこの世のものが罪によって堕落したかを示すために用いられている。それゆえこれだけが唯一の可能な見方であるとはいいえないにしても、全く特定の信仰と結びついた証言であるということができよう。

同じくヤハウィストが、神と人間との間で漸次増大してゆく亀裂を述べることによって、神の恵みのかくれたる力を証言していることも事実である。堕罪物語、カイン物語、洪水物語は同時に神の赦しの救済行為をも示している。しかし諸民族が分散され、人間の一体性が失われたバベルの塔の物語の場合、神の審きが基本の言葉であるように思われる。しかしながらこの所において前歴史は救済史とかみ合っているのである。即ちアブラハムが多くの民のうちから選ばれ、「地のすべてのやからは彼によって祝福される」という祝福が約束されるのであり、それゆえ救済史の開始は、前歴史に向けられた問い、神と諸国民との関係の問いに答えを与えるのである。この創世記一二章一―三節における救済史の出発点はブッデが正しく見たように、(98) 前歴史の終結であるばかりでなく、それに対する唯一の鍵なのである。前歴史の次元に向かって、即ち創造に至るまで遡って線を延長することは、装飾的な何かではないのである。即ち全体を補充する意味では役に立つが、しかしそれがなくとも、全体の叙述を損うこともないといったものではないのである。人間と神との関係が漸次分解していくのが前歴史において顕わにされるその厳格な目的性と一面性から見れば、我々は上のような見方はできないであろう。否、バベルの塔の物語において希望なき終わりを告げた前歴史と、イスラエルをさらに越えて「地の全てのやから」に対する祝福の約束による救済史の開始、この両者は共に分かちがたく結びついているのである。この前歴史と救済史とを結合することによって、ヤハウィストはヤハウェがイスラエルを選んだ救済関係の意味と目的について釈明しているのである。彼は全てのイスラエルの原因の原因を述べているのであり、このところで彼は真の預言者となっているのである。したがって神がイスラエルに働きかける救済史の最終目標として、神と人間との間にある亀裂の超克を彼は理性的な根拠をもって告知したのでもなければ、個々において具体的に把握しうるものとして告知したのでもない(99)。

　他の箇所では全くヤハウィストを規制していたあの伝承から彼がここでは完全に自由であることが明らかにされる時、ヤハウィストの信仰表白の独自性が明瞭になってくる。土地取得伝承は族長物語に始まっているが、前歴史についてはどこにも述べてはいない。そしてそれが欠けているとなれば、ヤハウィストは自己を頼る他はなく、彼独自の考えを自由に展開するのである。ヤハウィストがこの前歴史と救済史とを神学的に結びつけるにあたって既に先駆者がなかったかどうかを問うことができよう。もちろんそうでないという証拠は導き出されない。しかしヤハウィストがまさにこの点において、彼以前に存在していた伝承に従ったという仮定を簡単に想定することはできないであろう。彼の見方はあまりにも気ままであり、あの構成全体の弛みからそれが最初の新しい試みであったことを察知しうると思われる。まずこれと比較対照されうる詩篇一三五、一三六篇のごとき叙述はかなり後代のものに属することは確かである。

このように創世記一二章一―三節を前歴史の最終点、キーポイントとして見るならば、創世記一二章一節以下は、以前から存在していた古譚ではなく、ヤハウィストの自由な創作であるというグンケルの考えは最も良くこれに適合している。[100] 事実創世記一二章一節以下は（アブラハムの放浪を含めて）それ自体完結した素材ではなく、後になって創られた結合辞であり、その独自性において根本的な信仰告白を表明するものになったのである。この章には三つの祝福の約束が含まれている。(1) アブラハムは偉大な民となるであろう。(2) ヤハウェはアブラハムのすえに土地を与えるであろう。(3) アブラハムにおいて地の全てのやからは祝福をうけるであろう。最初の二つの約束は族長伝説の伝承においてヤハウィスト以前に存在していたものであるが、最も重要な最後の祝福の約束は古い伝承から出てきたものではなく、預言者的なひらめきに由来するのである。したがってこの特殊な考え方がヤハウィストの著作の後の部分ではわずかしか見られないというのは決して不思議なことではない。[101] ヤハウィストが従った伝承のもつ比重はあまりにも大きかったのであって、収集者として、型にはめられた素材に向かって、現在の著者がするように自由に対処することはできなかったのである。即ち諸伝承の中にまであの根本思想が徹底して介入することはなかったのである。その思想が彼の著作の一つの箇所で模範的なものとして明らかにされているというだけで十分であったのである。ヤハウィストの独自性は主として構成、即ち素材の秩序づけにあったことについては前に見た通りである。

一〇　ヤハウィストの神学的問題

これまでの章において私は、かつて祭儀と結びついていた諸伝承がヤハウィストによって文学作品になるまでを、その主要な段階にしたがって示そうと試みた。諸伝承が祭儀的な領域からつねにより完全に解放されようとするこの過程は一つの神学的な問題を含んでいる。この点について手短に述べ、多少とも一つの方向を示したいと思う。そこに解決が求められるにちがいないと思うからである。

古代の多くの祭儀素材がヤハウィストの作品の中に組み込まれているが、それらの中で古い祭儀的関心事をなお失っていないものが多少は残っているとはいえ、多くの ἱεροὶ λόγοι はヤハウィストの中ではもはや当時の祭所の神聖さと正統さを確保しようという働きをもってはいないのである。同様に出エジプト記一―一四章や出エジプト記一九章以下、二四章の聖所伝説では、古代のヤハウェ祝祭に基礎を与え、これを形成した時に、あずかって力となった宗教的な関心事はなくなってしまっているのである。素材は「歴史化」されている。即ちその内的な視野は狭い祭儀から一般的歴史的な自由な空間へと移されたのである。しかしそれと同時に、それらが必然的に世俗化に堕さねばならなかったのか、祭儀から解放されることによってそれらの伝承が被らねばならなかった損失はおそらく新しい神学的結びつきによって償われたのではないか、と問うことができよう。

私の考えによればここに暗示された問いの中にヤハウィストの神学的な問題一般が存在している。堅く祭儀と結びついていた大部分の素材がヤハウィストの文学的著作に溶解されてゆくまでの探究を見てきたものにとっては、ヤハウィストが信仰証言をしている場のもっているほとんど非祭儀的な雰囲気はいくら驚いても驚き足らないものであろう。しかし大多数は祭儀的な空間から出てきた、即ち祭儀によってつくられ、形成され、長年にわたって保存されてきた素材なのである。いたるところに祭儀的な概念が響いており、[102] また祭儀行為も述べられていることは確かであろう。[103] したがってそれについてはヤハウィストが全くそれらから遊離しているとはいえないであろう。しかしこれらは全てそれ自体において強調されているのではない。いうなれば素朴な信仰にとってはこれらの背後にひそんでいた究極の真摯さが欠けているのである。なぜなら祭儀が純粋な場合には生と死とを決定するからである。しかしヤハウィストの場合にはこれらの制度が救済にとって必要あるものという確信よりは、それらを寛容する態度が示されている。いずれにせよ彼の著作の興味はあの祭儀的な事柄とは遠いところにある。このヤハウィストの顕著な精神的姿勢は自由なソロモン時代の息吹きのようなものを感じさせるのである。しかしこのように確証しても神学的には何も説明されてはいない。むしろ祭儀との結びつきはたいして価値がないという合理主義的な考え方に訣別を告げるもののみがこの問題の重要性を感じとるであろう。我々の現代的な規準を内的にも外的にもあてはめるならば、祭儀のない宗教的行為は平凡なものになってしまうであろう。祭儀的すぎる場合にも、精神的すぎる場合にも、信仰にとっては危険なことなのである。今一度述べるならば、ヤハウィストが精神的に活動していた状況は旧約の信仰史においてはほとんど例がないのであり、したがってそのことからヤハウィストの神学的正当性が問われるのである。

もちろんこの問いはこのような神学的な態度決定が考えられうるということを前提としている。しかしこれは全く自明のことであるというのではない。なぜならヤハウィストは集成者であり、またそのようなものとして素材に対して骨とう的―宗教的な関心をも持っていたからである。[104] しかしヤハウィストはその信仰の実際的な興味から同時代の人々に語ったのであり、古代の伝承材のみを用いて自由に語る話し手ではなかったことは疑いない。

さて当然彼の仕事の内的意図は信仰告白（クレドー）、即ちあの古い救済史像をより完全な拡大した形で、同時代の人々に展開してみせ、同時にそれが価値を失っていないことを示すことにあったということができよう。しかしそれではまだそれ本来の神学的問題は答えられていない。伝承が祭儀という宗教的に保証された領域からはみ出してしまった時、ヤハウィストにとっては信仰表白の正当性が新たに問題となったのである。どのような動機や精神的な権利があって最古の信仰材をこのように現実化することができたのであろうか。彼が結局のところさして重要ではない宗教的な虚構者、はなし家としてではなく、神学的に証人として聞き入れられたいと思っていたとすれば、神について証言するという権利を彼に客観的に与えるある事実（Faktum）によったにちがいない。ヤハウィストがいわば彼の信仰を掩護してくれるものをもたずに民に向かって語ったとは考えられないのである。その事実とは、彼はこの事実を基礎として全ての著作を企画したのであるが、私の見る限り、まず第一に単純には歴史、即ち土地取得が成就したというだけではなく、この成就を基礎としてさらに神がイスラエルに働きかけているという歴史的事実なのである。それによって古い信仰告白（クレドー）に新しい神の印がおされたのであった。しかし我々はさらに一歩進むことができるであろう。

ヤハウィストは土地取得、土地所有をもはや古い信仰告白（クレドー）の意味においては考えていない。まず全く外的な点において一つの枠がとり払われてしまっている。即ち土地取得は今や十二部族の問題である。そうすることによってヤハウィストは重要な地域的拡大を行なっている。なぜならかつてのギルガルにおける信仰告白（クレドー）がどの程度の範囲で考えていたにしろ、諸部族全体とは当初は全然関係がなかったからである。それはせいぜい、聖所において τῆς ἀναδασμός（土地再分割）もしくはそれに類似したことを祝っていた部族群と関係していたであろう。しかし今我々は大イスラエル的な思想の前に立っている。それはガリンクがまず注目したものである。[105] この思想がヤハウィストを貫いているのである。しかしヤハウィストの場合――したがって我々の問題に再び戻ってくるのであるが――イスラエルに対する神の業は全く異なる仕方で見られているのである。即ちずっと非祭儀的に、ずっと政治的にである。しかもそれは聖戦の際間歇的にのみ一人のカリスマ的な指導者の行動においてその場その場で体験されるものではないのである。一言でいえば、**神の業の重点は同時に宗教的制度の外に置かれているのである**。それはあるいは自然の眼にはかくされているが、より全体的かつより連続的に見られているのである。即ち神の導きは同時に、土地取得に至るまでの、神聖、世俗を問わず、全ての出来事を含んでいるからである。ヤハウィストが証言しているのは神の導きと摂理の歴史である。即ち全ての生活領域において、公的、私的にかかわらず、ヤハウェの摂理が信仰者に明らかにされるのである。

神の業を古い宗教的制度（祭儀、聖戦、カリスマ的指導者、神の箱等）と結びつけて考えずに、政治的個人的な運命の縺れあった種々の道から振り返って、神の業を読みとろうと企てたこの信仰の見方はまさに革命的なものということができよう。しかしこれはヤハウィストだけに特有なものではない。むしろ彼の寄与はもう一つのものと関係している。即ち明らかにこれと似た方法で「少しばかり控え目に祭儀的な生活に対抗し、神の業を歴史の流れの中に認めるもの」[106]、即ちダビデからソロモンへの王位継承の叙述（サムエル記下七章、九―二〇章、列王紀上一―二章）と関係しているのである。この両者の著作の関係については種々語ることができるであろう。[107]しかしここではただわずかの根本的な事柄のみを問題としよう。神の業を歴史の中に見ようとする新しい見方は、ダビデの人物と、イスラエルがこの王と共に体験した歴史とによって喚び起こされたのであるとすれば、我々は文学史的にダビテの王位継承史をヤハウィスト以前に位置づけねばならないのである。もちろんこの新しい信仰の見方はまず第一に、直接的な事柄、即ちイスラエルが当時直面していた歴史的現実に向けられたにちがいないことは明らかである。しかしこの両者の著作が神の歴史行為を神学的に考察するその仕方は前述したように、古代の祭儀と結びついた観察に比べて革命的なものであり、しかもその類似性は顕著なものであるから、内的な関連性があるにちがいない。ヤハウィストによって行なわれた古い信仰告白（クレドー）の拡大化は、今まで考えられたよりもさらに直接的な関係をダビデと持たなかったであろうか。この王位継承の歴史とヤハウィストとの内的関連性が暗示するものはもう一つの側面から基礎づけられるのである。我々は先に、ヤハウィストがその庇護の下で書いた絶対的な事実は歴史であったこと、すなわちヤハウェが土地取得という基礎に立ってさらにイスラエルに働きかけているという事実であったことを述べた。ダビデの歴史の顕著な結果はもちろん大イスラエル王国を古代イスラエルのアンフィクチオニーとサウル王国が最初に含んでいた境界をこえてさらに拡大したことであった。既にアルトはダビデによる王国の拡張完成と、あの諸部族の領土要請とが関連をもっていることを指摘している。[108]ヨシュア記における諸部族間の境界決定に関する記録と、士師記一章の部族の所有とならなかった領域のリストとは、非常に古くから領土の権利主張が、それは宗教的方法によって秩序づけられ決定されていたのであるが、存在していたことを示している。しかしダビデの政治的行為の場合あの最古の部族制度と結びついていたとは考えられないと思う人があるにしろ、事実上の結果としてダビデ時代の王国の領域があの古い権利要求と重なりあう地域にまで拡張されたという事実は残るのである。おそらく忘れ去られようとしていたあの要求が突然後代の人々の意識の中に如実に入ってきたのではないだろうか。ダビデの成果にとって一般的にいってあの古い制度がその精神的な支柱となっていたということより適当なことが他にあるだろうか。ダビデ時代の出来事はそれと同時に神との深い関係をもつことができたのである。過去においてヤハウェが設定したものが完成したのであり、ダビデはあの神の意志の完成者であったのである！　この認識はダビデと同時代の人々や直接の後継者にとっては好都合のことであったろう。たしかに彼ら自身にとっては驚くべきことであった。なぜならヤハウェのイスラエルに対する救いの業がまだ現実に経験されうるという時代は既に過ぎ去ってしまっていたからである。サウルの召命の場合、ヤハウェの救いは聖戦という古い方法によって出現したのであるが、これと似たようなことはもはや何十年間もイスラエルの信仰には経験されることがなかったのである。あたかもヤハウェが歴史から引き下がってしまったかのように思えたのである。そこにダビデの偉大な行為が開始したのであり、それと共に思いがけないようにあの古い神の秩序が実現したのである。ヤハウェはなおイスラエルと共にあり、神はその意志を捨て去ることはなかったのである。しかしもちろんその業はかつての聖戦において経験した時とは異なったものであった。それは極秘のうちに、人目を引くことなく、世俗性の中にかくされていたのであり、信仰にのみ明らかなものであった。

この二つの基礎的な認識から――一つは歴史における神の極秘の業の新たな理解、他は古い領土要請がダビデ及びダビデ後の時代に対してもつ現実性――ヤハウィストの著作は理解されなければならない。神の歴史の業がただかくされた導きという形でのみ示されている最も非宗教的なあり方については既に前に述べた通りである。そしてヤハウィストの著作の注目すべき結末である士師記一章を読むならば、[109] この非常に控え目に存在している領土史的な覚え書がダビデと同時代及びそれ以後の時代の人々に対して現実性をもっていたにちがいないことを感ずるであろう。かつてイスラエルの所有とはならなかった領域についての型にはまった覚え書を、神がこの未完成の成就をそのままにはされないという考えがなければ、誰が読みえたであろうか。神は一貫してイスラエルと共に行為され、そして――もちろんヨシュアの時代ではなくダビデの時代になって初めて――全ての約束が本当に成就したのであった。上に述べたように、それはヤハウィストの記述方法と対応しつつ、その著作の最後において行間に読みとられるべきものである。申命記記者はのちになって簡勁な言葉でこれを要約している。そして――歴史的な事実を一般化してはいるが――六書全体のこの重要な結果を土地取得の最後において述べている。

「そしてヤハウェはその先祖たちに誓われた地を与えられた……そして彼らに安息を与えられた……ヤハウェがイスラエルの家に語られた全ての約束は一つとして違わず全て実現した」。

（ヨシュア記二一・四三以下）

二　結　論

我々はここで六書の様式問題についての検討を中断してもよいであろう。しかしそれはEならびにPがJと出会ったのが我々に自明のことであり、満足のいくように説明しうる出来事であるというからではない！　これら二つの著作の由来と目的、その成立様式とそれらの読者に関する問いは依然としてわからないままであり、想定しうるのみなのである。しかしこれらの諸問題は我々がここで取り扱ったものとは性質の異なったものである。EならびにPがJを基礎として成り立っていることと、それらの相互の結びつきとは純粋に文学的な出来事であり、様式史的な観点から見ても、先に述べたこと以上に新しいものは根本的には何も存在していない。六書の様式はヤハウィストに既に存在しているのである。エロヒストと祭司典記者はこの点に関してもはやいかなる変化ももたらしてはいない。即ちこれらはもちろんそれぞれ非常に神学的な独自性をもっているのではあるが、力強いヤハウィストの考え方の模倣でしかないのである。

エロヒストの問題は最近種々の側から出されたのであるが、ここではもっぱら我々の様式史的な観点からこの包括的な問題について一言述べておこう。従来エロヒストの出発点に関しては一致していたのであるが、モーヴィンケルは最近、祭司典以前の「前歴史」には部分的には二重の流れが存在しており、それがJとEの資料的な縺れであると解釈している。[110] このような認識の底には、Eもまた一つの「前歴史」をもっていたにちがいないという考え方、即ちEがJの後継者、Pの先駆者であるにもかかわらず、これらの著作とは異なって、世界創造から物語を始めなかったとは考えられないという意識が働いているのである。[111] このような考え方には反対しなければならない。前述したように、前歴史を包摂することによって古い信仰告白様式を拡大したのは、ヤハウィストであり、彼が神学的に自由であったからである。しかしヤハウィストの後継者たちが、何百年にもわたる伝統によってイスラエル民族の宗教意識に叩き込まれた様式に、さらにまだ結びついていると感じたとしても、それは不思議なことであろうか。この点についてエロヒストの特徴はその「伝統固持性」にあるとすることができるであろう。「先の時代の文学的・芸術的な新創造に結びつくよりも、古い伝説伝承の基礎に強く結びついていたのである」。[112] エロヒストはヤハウィストに比して神学的にも問題はなく、特別異なった存在でもない。彼は通俗的であり、それゆえその叙述は文学的にはヤハウィストより新しいが、より古風であると感じとられてきたのである。否、前歴史が欠如しているからといって、エロヒストの場合奇異な感じを与えるものではない。即ち彼は個々の素材ばかりでなく、形式的な概略を描く場合類型的にも、古い土地取得伝承を、神学的には独自なヤハウィストの場合よりも、忠実に保っているのである。

エロヒストがその物語を始めたのはおそらく創世記一五章一節からではなかったこと、即ちアブラハムの由来に関して何らかの言葉がそれ以前にあったにちがいないこと、この点に関しては我々はモーヴィンケルと一致している。我々はエロヒストの資料が、既にカナンにおけるアブラハムの流浪と最初の運命について述べているヤハウィストと結びつくことによって、短くなったことを考慮に入れなくてはならない。ガリンクは創世記一五章一節以下にもまだアブラハムの放浪についての余韻が残っていると推察する。この対話はもともとカナンへの放浪の開始以前になされたものであり、アブラハムが子供なしで旅に出なくてはならない וְאָנֹכִי הוֹלֵךְ עֲרִירִי という嘆きが含まれていたと彼は考えるのである。[113]

ノートはヨシュア記注解の中でもう一つの考えにきっかけを与えてくれている。[114] ギルガル伝説の「収集者」と五書資料のそれとを同一視しようとすることについてはノートは非常に懐疑的である。即ちこの伝承群が素材的にみて独自性をもつことについてもっと多くの考慮が払われねばならないというのである。それゆえノートはヨシュア記の文学的問題をまずできうる限り五書の文書批評による結果とは別に離して見なければならないという結論に達している。[115] しかし、ここで伝承や素材の問題は文学的問題と非常に混同されてはいないだろうか。ギルガル伝説群が素材的に独立していることを否定するものは誰もいないであろう。しかし現在の形においては、古い原因譚的な要素はあらゆる場合第二次的なものになっている。これらの伝説は全て、良し悪しは別として、土地取得という共通の scopus によって結びつけられており、この文学的形態が五書資料に対して独立しているということをおそらく主張しえないであろう。それゆえこの古代の伝説素材から作り出された物語がエリコの偵察から始まったということがまともに考えられるだろうか。異議を唱えねばならないのは、ヨシュア記における文学的な問題を一つの形態をなしている六書全体の問題から分離する点である。いいかえるならば、JとEの場合、文学的問題ばかりでなく、さらに類型の問題を取り扱わねばならないのである。次いで民数記や申命記に含まれているエロヒストが何を表現しようとしたかを問題としなくてはならないであろう。一般的にいってエロヒストが創世記から申命記に至る諸書において見出されることは確かであろう。ノートもまたこの点には反対してはいないようである。もしそうだとすれば、エロヒストは土地取得という結末をもっていたにちがいない。そうでなければルドルフの理論がより徹底したものであるといえよう。[116]

我々がこの論文でとった観点からすれば、祭司典は独特な光を放っている。ヤハウィストが非常に非宗教的な世俗的な方法によって神の歴史行為を叙述したという我々の結論を想起するならば、直ちに根本的な差異に気付くことであろう。祭司典は宗教的な制度を正当化しようとしている。彼は一つの歴史の流れの中で、正当化しようとする儀礼・慣習・信仰要素に救済史的な啓示・命令を対応させることによって、彼の時代で重要な制度を神学的に保証しているのである。伝統全体は、個々の全ての伝承と共に、Pにおいて再び宗教的な領域に戻ったのである。しかしPにおいては、ヤハウィスト以前の古い祭儀伝承とは全く性質の異なった、祭司的な意味で宗教的な考え方があるのである。もしこのようにいえるとすれば、宗教的な素朴さがないという点で、祭司典はそれらとは異なっているのである。そこでは非常に大規模な神学的省察が素材を貫通している。そしてこの神学的見地は世界創造からシロの幕屋に至るまでの全体を包括しているのである。宗教的に正当化しようとする意図は、あの古い祭儀の場合とはちがって、それぞれの慣習を保証するだけに止まらないのである。否、Pは神の救いの業が一歩一歩明らかにされていった歴史全体を示しているのである。しかしそれは神の計画性に富んだ行為とその大いなる方法に関してヤハウィストが決定的に認識していたことを全て祭司典が受け継いだことを意味している。ヤハウィストに比較して、Eの場合もPの場合もある意味においては一つの逆行的な運動について語っている。ヤハウィストの見方は旧約の信仰生活にとってはたしかに一つの必然的な事柄なのであるが、神によって命ぜられたイスラエルの祭儀制度を廃棄することはできなかったし、しようともしなかったのである。祭司典においてはまちがいなく一つの復古の傾向（Restaurationstendenz）が働いている。即ちヨシヤとエズラの間の復古時代にそれが成立したということと結びつく一つの考え方が存在しているのである。

現在の形における六書は、それぞれが独自性をもった諸資料の信仰証言を聞き、それらを拘束力あるものとして保持しようとした編集者の手によって出来上がったものである。六書が完全にその最終形態において理解されるよう読者に強く要求していることは疑いない。長い年代、多数の人々、多くの伝承、神学者たちがこの巨大な著作を作り上げてきたのである。六書を平面的に見ず、その深い次元を良く知って読む者のみが、即ち多くの時代の啓示や信仰体験がそこから語りかけていることを知る者のみが、正しい理解を得ることができるであろう。なぜならこの著作の極まるところのない長い生成過程のどの一つも事実古臭いものとはなっておらず、それぞれの段階において何かを含んでおり、変わらざる要請として六書の最終形態に至るまで何かが貫かれているからである。そうしてこそこの著作に含まれている多くの証言を聞く用意ができるのである。しかし我々はこれらの証言の未曾有の複合体が、いかにくり返し厳格に明瞭に一つの簡潔な主要要素、つまり土地取得という思想に秩序づけられているかを、見たのである。それゆえこの主要証言を――それに比して全ての他の六書の証言はこれに奉仕する役割しかもっていないのであるが——その全体的な聖書的神学的意義において明らかにするのが、結局のところこの論文の目的であったのである。世界創造から土地取得に至る道は何という注目すべき道であったことか、この目的達成のために何という艱難があり、神の命令と計画とが費やされたことか！　しかしもちろん六書ではイスラエルの宗教だけが問題とされているのではなく、人間の神に対する服従とともに、神の統治を地上にうちたてるための礎石を、全ての人間実存の本質的な根底の中にまで置くことが問題とされているのである。

注

（1）この問いは既に Dornseiff ZAW N.F. 12 (1935) S. 153 によって問われているが——彼はただ五書についてのみ述べている——全く不満足にしか答えられていないということを付記しておこう。

（2）特に第二の祈りは原型にほとんど修正がなされていないことを示している。この祈りはいわゆる十分の一税の年に十分の一を納める時にのべられるものであるが、特に申命記的な規定とは一致しない。ここでは十分の一の慈悲深い用い方に強調点がおかれているのに、この祈りでは主として祭儀における「聖なるもの」の奉納が断言されている。祈りでは十分の一を納める者の祭儀的にみた廉潔さが問題となっているのに対し、申命記の全ての関心は十分の一を受ける者に向けられている。

（3）最初のリズミカルな頭韻をふんだ特徴は特に古いものである。

（4）Jirku, Die älteste Geschichte Israels im Rahmen lehrhafter Darstellungen (1917) S. 49.

（5） 以下の部分については Jirku, Die älteste Geschichte Israels im Rahmen lehrhafter Darstellungen (1917) 参照。
（6） Hans Schmidt, ZAW, N.F. 8 (1931) S. 59ff.
（7） 詩篇八三・一三参照。
（8） Wellhausen, Prolegomena zur Geschichte Israels[5] S. 347f.
（9） E. Meyer, Die Israeliten und ihre Nachbarstämme (1906) S.60f. が特に詳しい。
（10） Greßmann, Mose und seine Zeit (1913).
（11） Wellhausen, a.a.O.S. 349 ; Greßmann S. 164ff.
（12） Greßmann, a.a.O.S. 234f.
（13） このところは現在の形では全然有機的に結びついていない。主語も目的語もただ推測しうるだけである。
（14） モーセは彼に尋ねる人々に法を語っている（一三、一五節）。彼は חֻקֵּי הָאֱלֹהִים（神の定め）を告知する（一六節）。彼は חֻקִּים（定め）と תּוֹרֹת（おきて）について教えている（二〇節）。
（15） 一節と四節とは後代の付加であり、その前の金の牛の物語とを結びつけようとするものである。(Eißfeldt, Hexateuchsynopse, S. 55f.)
（16） Alt, Die Ursprünge des israelitischen Rechts (1934) S. 52. [Kl. Schr. I S. 317].
（17） ヤハウィストは、神学的な出来事に関してはEより後退している。出来事全体を締めくくる感謝の食事が述べられているのみである(出エジプト記二四・一一)。
（18） それゆえ出エジプト記三二章もまたシナイ伝承と関係しているという可能性を除外するわけにはゆか

ない。ただ我々は、出エジプト記三二章と神顕現、契約締結との間には、文学構成が現在つくり出している有機的関連性は素材的にはないと考える。

(19) 出エジプト記三二・七以下、一一以下、三三・一以下参照。

(20) それゆえシナイとカデシとが距離的にはわずかしか離れていないと考えて、これらの伝承が元来は関連していたという意見に対する主要な異論は崩れ去るなどと考えるのは問題外のことである(Kittel, Geschichte des Volkes Israels[5] I S. 341)。

(21) Greßmann, a.a. O. S. 390.

(22) E. Meyer, Die Israeliten und ihre Nachbarstämme S. 62.

(23) Hempel, Die althebräische Literatur (1930) S. 16 参照。

(24) Mowinckel, Le décalogue (1927) S. 129.

(25) Richard M. Meyer, Mythologische Studien aus der neuesten Zeit, ARW 13 (1910) S. 270 ff. 参照。

(26) 今日よく用いられる「歴史化 Historisierung」という概念、即ち、それ以前に存在した宗教伝承を、ヤハウェ信仰によって後になって、歴史的なものに秩序化したという考え方では、この事情を事実通りに把えることはできない。現在のシナイ伝承の文学的形態が祭儀的な形態に対して、二次的なものだとしても、伝承そのものは、祭儀行為に比べれば、はるか以前に、形成されたと考えねばならない。

(27) H. Schmidt, Psalmen S. 155. 参照。

(28) Mowinckel, a.a.O. S. 154 は、そのように述べている。

(29) 詩篇八一篇において、一〇節の前に、一一節aを置きかえることができる。

(30) Mowinckel, a.a.O.S. 108.;Alt, Die Ursprünge des isr. Rechts S. 64. [Kl. Schr. I S.326].

(31) Alt, a.a.O.S. 57 [Kl. Schr. I S. 321].

(31 a) L. Köhler, Die hebräische Rechtsgemeinde (Jahresbericht der Universität Zürich, 1930/31) S.17ff. [Der hebräische Mensch (1953) S. 163 ff. に再録]。

(31 b) Mowinckel, Segen und Fluch in Israels Kult und Psalmdichtung(Psalmenstudien V) S. 97 ff.

(32) A. Klostermann, Der Pentateuch N.F. (1907) S. 348.

(33) A.a.O.S. 344.

(34) A.a.O.S. 347.

(35) Klostermann, Der Pentateuch. N.F. S.246.

(36) Klostermann, a.a.O. S. 273.

(37) Keil と Knobel は この箇所を依然、そのように解している。

(38) I. Elbogen, Der jüdische Gottesdienst S. 165.

(39) Alt, a.a.O.S. 65. [Kl. Schr. I S. 327].

(40) Le décalogue S. 119 f.

(41) Sellin, Geschichte des israelitisch-jüdischen Volkes I [2. Auflage 1935] S. 101.

(42) この点については Noth, Das System der zwölf Stämme Israels (1930) S. 140ff. 参照。

(43) Gilgal, S. 52f.

(44) Volz, Das Neujahrsfest Jahwes (1912); Mowinckel, Das Thronbesteigungsfest Jahwäs und der Ursprung der Eschatologie (Psalmenstudien II, 1922); H. Schmidt, Die Thronfahrt Jahwes

(1927).

(45) Buber, Königtum Gottes² 〔1936〕 S. 121 は、この点に疑問を提している。参照せよ。

(46) Le décalogue, S. 128f.

(47) 私は、この句が、申命記的だと考えることはできない。גּוֹי קָדוֹשׁ は、申命記的ではないからである（その場合は、常にである）。また、表現としても、内容的にも מַמְלֶכֶת כֹּהֲנִים は申命記にないからである。さらに、これらの言葉の文学的な年代を問うとしても、決定的なことは出てこない。しかし、そうだとしても、古いプログラムへの指向性をもっているのである。

(48) Theol. Blätter 8, (1929) S. 105 ff.

(49) Noth, a.a.O.S. 121.

(50) 「わたしの民」という、全く固定した、神の語りかけが、詩篇五〇・七と八一・九に、また、様式化された形では、ミカ書六・三、五節に見出されるが、これとの関連で取り上げねばならないであろう。

(51) 民数記二八・二六。

(52) Dalman, Arbeit und Sitte in Palästina I 2 S. 464.

(53) Dalman, a.a.O.S. 420.

(54) Eißfeldt, Erstlinge und Zehnten 〔BWAT 22, 1917〕 S. 43.

(55) Benzinger, Hebr. Archäologie S. 374 f.; Dalman, a.a.O.S. 420. 464 は、既に、そう述べている。

(56) ミシュナの伝承が示している自由な用法（週の祭りと、秋の祭りとの間に בִּכּוּרִים を奉納する Bikkurim I, 10）は、おそらく、申命記とその祭儀集中化傾向から始まったであろう。そして、特定の日付のないのは、このことから説明されるであろう。しかし、申命記二六章に含まれている古い伝承を問おうとする我々にとっては、何事も、それによって影響をうけることはないであろう。なぜなら、出エジプト記二三・一六と三四・二二が、古代においてはשלמיםの奉納は、週の祭りに行なわれたことを、明瞭に示しているからである。

(57) Gilgal, S. 50f.

(58) ヨシュア記一九・四九以下。

(59) Sellin, a.a.O.S. 51.

(60) この間隙がいかに強く感じられたか、シケムでの出来事を単純にギルガルに移そうとする試みが示している。Smend, Die Komposition des Hexateuch S.336；Eißfeldt, Hexateuchsynopse S. 81.

(61) シロにおいて、土地割り当てが行なわれたという、祭司典の伝承は、より古い諸伝承とは決して一致しない。シロが、エルサレム以前、イスラエルの中心聖所であつたことを知っている時代の理論が取り扱われているのである。

(62) スメントは、さらに、その根拠をのべている（a.a.O.S. 320）。ギルガルにおいてのみ、ヨシュアは南のユダと北のヨセフの家について語りえたのである。Sellin, Gilgal S. 49f., Noth, Josua S. 80 [2 Aufl. 1953, S. 108] を参照せよ。

(63) 士師記一・一六。Smend, a.a.O.S. 339.

(64) Sellinfestschrift (1927) S. 13 ff. [Kl. Schr. I S. 193 ff.]. Die Staatenbildung der Israeliten in Palästina (1930) S. 61. [Kl. Schr. II S. 51].

(65) ヨセフの家に対するベニヤミンの特殊な歴史については Noth, Das System der zwölf Stämme Israels, S. 81, 37, A. 2. 参照。

(66) サムエル記一〇・八、一一・一四以下、一三・四、七、一五・一二、二一、三三。
(67) これについては Hempel, Gott und Mensch^{2} S. 46 ff. 参照。
(68) v. Rad, Die Priesterschrift im Hexateuch [BWANT, 65, 1934] S. 56.
(69) これに似たことは、鶉の物語についてもいえる。この場合、後代の理解では（ネヘミヤ記九・二〇）霊が与えられたとしている。Eißfeldt, Hexateuchsynopse S. 41.
(70) Gunkel, Genesis § 1–5; Kittel, Geschichte des Volkes Israel^{3} I S. 302 ff.（これ以後の版では省略されている。^{6}II S. 290 Anm. 3 参照）。
(71) ZAW N F. 11 (1934), S. 161 ff.
(72) 前述一二三頁以下を見よ。
(73) 申命記二六・五以下、ヨシュア記二四・二以下、サムエル記上一二・八、詩篇一〇五篇。
(74) Jirku, a.a.O.S. 31.
(75) Gunkel, Genesis S. 159 ff.
(76) Gunkel, a.a.O.S. 291 ff.
(77) Greßmann, Eucharisterion für Gunkel S. 1 ff.
(78) Alt, a.a.O.S. 56 ff. [Kl. Schr. I S. 52 ff.].
(79) 「国家的ヤハウェ宗教が元来、諸聖所における族長の神々の祭儀とは、分離したものである点については」Steuernagel, Beer-Festschrift (1935) S. 68 f をも参照せよ。
(80) Alt, a.a.O.S. 24f. [Kl. Schr. I S. 23 f.].
(81) Alt, a.a.O.S. 60f. [Kl. Schr. I S. 56f.].

(82) Gunkel, Genesis S. 161.
(83) Gunkel, a.a.O.S. 292.
(84) Hempel, Althebräische Literatur S. 114. Kittel, Geschichte des Volkes Israel[3] I S. 376.「それを結ぶ糸は、人間から見れば、愚かな、不正のものであるが、ヤハウェの恵みある業なのであり、それを明らかにすることが、ヤハウィストの意図である」。
(85) 創世記一二・七。
(86) Gunkel, a.a.O.S. 167. 創世記一二・一—三については、以下にのべる。
(87) 創世記一五・一八。
(88) 創世記一三・一四以下、二四・七、二六・二以下、二八・一三参照。
(89) Alt, a.a.O.S. 71. [Kl. Schr. I S. 66].
(90) ヤハウィストの場合、族長たちの神に関する伝承が果たしている。特別の役割については Alt, a.a.O. S. 24f. [Kl. Schr. I S. 22f.] 参照。
(91) E. Meyer, Die Israeliten und ihre Nachbarstämme S. 108 中の B. Luther 参照。Eißfeldt, Hexateuchsynopse S. 30 参照。
(92) 創世記一七・八、二八・四、三六・七、三七・一、(四七・九)、出エジプト記六・四。
(93) 族長時代が一方では土地取得、他方ではシナイ契約を指向している点において、ある不均衡が容易に認められる。それは種々雑多の伝承が、元来は独立していたということ、特にシナイ伝承と土地取得伝承との間のほとんど解消しえない緊張関係に由来している。
(94) それゆえ祭儀伝説を付加したことは、クレドーには見られない、大きな自由として評価しなければならない。なぜなら、これらの宗教伝承は、古い土地取得伝承にとっては、完全に、異質のものであったからである。

(95) Gunkel, Genesis S. 1.

(96) Gunkel, a.a.O.S. 2.

(97) 個々の素材が長い間、カナンの宗教圏の中に受入れられていたことは確かである。しかし、それらの構成までもが、非イスラエル的な「対照手本」に由来するという仮定は、確かでないと思われる。Hempel, Althebräische Literatur S. 14f., 115.

(98) Budde, Die biblische Urgeschichte S. 409.

(99) 創世記一二・三b「地のやからのすべては、お前によって祝福される」は全世界的な意味で解してはならないといわれてきた。そこで意味されているのは、イスラエル外の人々がアブラハムの幸運と祝福を請うなら、アブラハムはその祝福のしるしとなるであろうということのみであるというのである。言語的な面からだけでは、ここでのみ用いられている Niphal が特別の意味をもつかどうかは決定しえない（Procksch, Genesis S. 97）。このような限定した解釈に対する主要な反対は、この句が、前歴史（特に一一章）と救済の約束との連続性を破壊している点にある。堕落した民に対する神の審きでもって終わる前歴史全体は、それによって単なる装飾的な意味しかもたない付加物になってしまうであろう。しかも、この創世記一二・三bが全体の中心を占める神の約束の結末にあるという事実はこのような弱い解釈に反対しているのである。この句をあの色褪せた使い古された意味で解しては、その前にある約束に呑み込まれてしまうであろう。

このような見方をする人々に対して、当然彼らの解釈が祝福の祈禱を現代的に誤解しているのではないか問われるであろう。もし地のやからが自己のためにアブラハムの祝福を請うとすれば、彼らは究極においては神に属するあの祝福する力にあずかろうとしているのである（Mowinckel, Psalmenstudien V S. 6f）。その場合にはあの解釈は結果的には我々の解釈とはほとんど異ならないであろう。

（100） Gunkel, a. a. O. S. 161, 163.

（101） 創世記一八・一八、二七・二九、二八・一四（出エジプト記九・一六、民数記一四・二一）

（102） 例 創世記七・二、三一・三三、出エジプト記四・二四。

（103） 例 創世記四・三以下、八・二〇以下、一二・七、一五・九以下、三一・四六。

（104） ヨセフ物語を土地取得伝承に挿入した時のように、ヤハウィストをただ一つの線、一つの関心にのみ堅くしばりつけることはできない。その点については前述した。九〇頁以下参照。

（105） K. Galling, Die Erwählungstradition Israels（1928） S.68ff.

（106） Rost, Die Überlieferung von der Thronnachfolge Davids（1926） S. 139. [Das Kleine Credo S. 244].

（107） Hempel, Althebräische Literatur S. 116f. 参照。

（108） Alt, Die Staatenbildung der Israeliten in Palästina（1930） S. 65. [Kl. Schr. II S. 54].

（109） 士師記一章の素材がヤハウィスト以前に起源をもつものであるという論拠（Rudolph, Der „Elohist" von Exodus bis Josua. BZAW 68 S. 272）は、それが文学的にはヤハウィストの著作の枠内で用いられていることとは矛盾しない。この点については、ヤハウィストの素材でヤハウィスト以前に起源をもつものは多く存在しているということができるだろう。

（110） The two sources of the predeuteronomic primeval history（JE） in Gen. 1—11（1937）.

(111) A. a. O. S. 44f.
(112) Hempel, Althebräische Literatur S. 125.
(113) Die Erwählungstraditionen Israels S. 45f.
(114) Noth, Josua (1938). [2. Aufl. 1953].
(115) Noth, a. a. O. S. XIIf. [vgl. 2. Aufl. 1953 S. 7ff.].
(116) Rudolph, Der „Elohist“ von Exodus bis Josua (BZAW 68. 1938).

六書における約束の地とヤハウェの地

（一九四三年）

六書全体、あらゆる資料、しかもあらゆる部分に一貫して存在する主題で、ヤハウェによって約束され、そして与えられた土地という主題ほど重要なものはおそらくない。この約束の受領者は族長たちである。もちろん彼らは既にその土地に生活しているが、その土地はまだ彼らの異邦の民のものなのである。モーセ時代はこの約束と成就の中間に立っていて、この偉大な目的を拒んだり、本当だと思ったりした時代である。そしてヨシュアの時代が成就の時なのである。イスラエルはこの地を所有し、彼らの部族で分割する。この六書を明らかに支配している考え方を探究することはまだ不思議にも行なわれていない。ここでは紙面の都合もあってごく短く概略的にしか取り上げることはできない。これを探究するにあたって最初の基礎をうるために、この考え方とその存在とをまず用語的、術語的に限定しよう。

そこでまず第一に族長たちへの誓い、即ち族長たちに対する土地の約束もしくはこの約束の定式的な再確認（わたしがアブラハム、イサク、ヤコブに与えようと誓った土地）が取り上げられるであろう。

創世記一二章一—三節（子孫、祝福）、一二章七節（土地）、一三章一四—一六節（土地、子孫）、一五章五節（子）、一五章七節（土）、一五章一八節（土）、一七章四—八節（子、土、新たな神との関係）、一七章一九節LXX（子、新神関係）、一八章一〇節（子）、二二章一七節（祝、子）、二四章七節（土）、

二六章三節（土）、二六章四節（子、土）、二六章二四節（祝、子）、二八章三節以下（子、土）、二八章一三―一五節（土、子、祝）、三二章一三節（祝、子）、三五章九―一二節（子、土）、四六章三節（子）、四八章四節（土、子）、四八章一六節（祝、土）、五〇章二四節（土）、出エジプト記六章四―七節（土地、新神関係）、一三章五節（土）、三二章一三節（土、子）、三三章一節（土）、民数記一〇章二九節（土）、一四章二三節（土）、三二章一一節（土）。申命記は族長への誓いをただ土地の約束としてのみ理解している、申命記六章一八、二三節、八章一、一八節、九章五、二七節、一〇章一一節、一一章八節以下、一八―二一節、二六章三、一五節、二八章一一節、三一章七、二〇節――申命記三四章四節（JE土）、ヨシュア記一章六節（土）、五章六節（土）、士師記二章一節（土）。スタイルに関して用語は多種多様である。ある部分では一人称、ある部分では三人称で語られていて必ずしも誓いとしてきわだっていない等々である。しかしそのことは我々にとっては重要でないことである。土地約束がしばしば他の約束と一括されている点に関しては、後に述べねばならない。

特別な刻印をもった概念のうちで――אֶרֶץは我々の探究の目的を定義するにはあまりにも淡白すぎる――נַחֲלָהという概念がきわだっている。

これは一義的なものではない。より古い資料（JE）では、この言葉はまず当然のことながら血族の世襲地を意味する（創世記三一・一四、民数記一六・一四、ヨシュア記二四・二八、三〇、三二）。もちろんそれに並行してJEは部族の「嗣業」にも用いている（ヨシュア記一三・七、一四、一四・九、一三以下、一八・二、四、七）。――我々はPにおいてこの概念に頻繁に出会う。しかし根本的には同じような用法である。血族の「嗣業」については民数記一六章一四節、二七章七節、三四章一四節、三六章二節以下、ヨシュア記一九章四九節がのべている。またリストの見出し、結語において、部族に属するものが「その血族にしたがって」「嗣業」をうけることがのべられている（ヨシュア記一三・二三、一六・五、一八・二八、一九・一以下、一〇、四〇）。[1] この用語は部族の「嗣業」という考え方に導くものであって、もちろんPにも見出される。例　民数記一八章二一、二四、二六節、二六章六二節（レビ）、二六章五三節以下、五六節、三六章三節、ヨシュア記一四章二節、一七章四、六節、一九章五一節。Pがイスラエルの「嗣業」についても語ったという点については例証がない。時にその土地が与えられるべきイスラエル人たちについて言及されている（例民数記三四・二、三二・一八）。しかしそれはちがったふうに判断すべきであろう。ヨシュア記一一章二三節、一三章六節、二三章四節は申命記的である。それが即ち申命記の歴然とした特徴であって、専らイスラエルの「嗣業」について語っている（四・二一、三八、一二・九、一五・四、一九・一〇、二〇・一六、二二・二三、二四・四、二五・一九、二六・一)。ただ例外的にのみ申命記はנחלהをある部族の相続地として用いている。ルベン、ガド、マナセ半部族の場合三章一八節、二九章七節とレビの場合一〇章九節、一二章一二節、一四章二七、二九節、一八章一節[2]以下である。ここでは申命記は明らかに固定概念に依存していたのであり、彼の特別の用語法をふみ越えねばならなかったのである。ふり返ってみるならば、נחלהの例証が――申命記をのぞいて――土地分割に関するテキストにおいていかに数多く用いられているかがわかる。そのことは決して不思議なことではない。しかしながら我々はこの事実をもう一度確かめねばならないであろう。特にヨシュア記の場合明瞭に資料分析のできない困難を意識しなければならないのである。しかし他方我々の研究にとって、一つの例証がある特別の資料に属するということは、決定的意義をもつものではない点を考慮に入れねばならない。なぜならまさに用語法的にいって、祭司典は古い、より古い素材を用いたからである。したがってその例証の重要さはそこにあるのではなくて、そのものとして比較的簡単にとり出せるある神学的―教義的な考え方の中にあるのである。

その描写は全体的には統一的である。נחלהという概念は元来は血族もしくは部族の相続地に用いられる。後者の方がより本来的な用語法であって、血族のナハラーが転意されたものではないであろう。この概念の六書以外での用法でも部族の נחלה についての古い例証が知られている（士師記一八・一、二一・二三）。古い、古文体の文献（P）にはイスラエルの נחלה について述べられていないことは消極的ではあるが注目すべきである。これは明らかに申命記的な特徴である。最後に、その土地はヤハウェの נחלה であるという旧約聖書に十分よく知られている表現（サムエル記上二六・一九、サムエル記下一四・一六エレミヤ書二・七、一六・一八、五〇・一一、詩篇六八・一〇、七九・一）が六書には欠けていることも重要である。[3] この点についても後に取り上げねばならない。

この他に上述した概念ほど重要ではないが、三つの用語を取り上げて、述べたいと思う。

(1) גורל 土地分割に関する祭司典の叙述においては籤という意味で用いられている（民数記二六・五五以下、三三・五四、三四・一三、ヨシュア記一四・二、一五・一、一六・一、一七・一、一八・一一、一九・一、一〇、一七、二四、三二、四〇、五一は諸部族間の籤引きの意味である）。さらにJE（ヨシュア記一八・六、八、一〇）においても既にそうである。ただヨシュア記二一章（P）のレビの章では氏族間での籤引きについて語られている（二一・四、五、六、八、一〇、二〇）。土地配分という比喩的な意味ではこの言葉は既にJEにおいては、部族の土地配分に関して（ヨシュア記一七・一四―一七、士師記一・三）、Pにおいては、氏族間の配分に関して（民数記三六・三）見出される。

(2) חֵלֶק （部族間の）土地配分という意味ではJEの場合 ヨシュア記一八章五節以下、七、九節、一九章九節、Pの場合 ヨシュア記一四章四節、一五章一三節、民数記一八章二〇節（アロンについて）、申命記ではレビが無産階級であることに関してのみ 一〇章九節、一四章二七、二九節、一八章一節、一二章一二節においてそれぞれ用いられている。

(3) חֶבֶל 部族の土地配分という意味でヨシュア記一七章一四節、一九章九節（JE）、一七章五節（P）で用いられている。

このように簡単に見ただけでも、二、三の相違が明らかになってくる。その点についてこれから見て行こう。まず第一に族長たちへの誓いをいかに理解すればよいのであろうか。それはどのような内容をもっているのだろうか。しかし族長物語の全構成を約束の時という共通の神学的分母の上に置き、相互に結びつけたのがヤハウィストであったことは明らかである。ヨシュア時代がその土地への侵入ということでこの約束の時に対応し、その土地分割は成就の時に対応しているのである。それによって六書全体が決定的な刻印をおされている。そしてそれ以後の変容は全て（E、P）、不変のまま残っている一つの根本的な概念に対して、ほとんど意味をもたないのである。申命記二六章五節以下の祭儀的な信仰告白（クレドー）は、ヤハウィストがその救済史的な図式に従ってその偉大な著作の概略を描いたのであるが、この約束と成就という重要な緊張関係をまだ知っていない。[4] したがって次の問いが生じるのである。ヤハウィストはどこからこの新しさを得たのか、そしてどのようにして族長伝承全体を土地約束という命題のもとに配置するようになったのか。その解答は、A・アルトが族長たちの神に関する著作の中で与えている。即ち土地約束は本来的要素であり、モーセ以前の族長たちの神の祭儀に属するものである。[5] ここで我々は最古の伝承に進むことになる。既に族長たちの神は耕作地の周辺に住んでいるイスラエルの先祖たちにその地の所有を約束した。そのことはあの時代からほとんど変わらない形で伝承されてきた古譚（創世記一五・七以下）が明瞭に示している。つまりヤハウィストが族長たちの宗教から最古の要素を取り出し、それを彼の著作構成においてはさらに広い基礎の上に置いたのであるとしても――彼はその要素にあの支配的な立場を与えるために、それとは元来縁のなかった話の中にも挿入したのであるが――、彼が新たに付加したものとは考えられないであろう。むしろ新たなことはあの族長たちの神の最古の約束がヨシュアによる土地取得と結びつけられたことである。なぜならあの族長たちの神の土地約束が元来は直接的な簡単なものであり、その土地を去って再び入ってくるなどということは全然予期していなかったからである。[6] しかしヤハウィストの場合族長たちに対する土地約束はヨシュア時代の成就に対応している。したがってその直接的な関係は著しくこわされてしまっている。それゆえ族長たちと土地つまり彼らに約束されたことの成就とのあの全く弁証法的な関係が成り立っている。それは力強い神の誓いによって彼らに約束されたのであるが、彼らはまだそれを得ていない。それはまだ彼らにとって寄留の地なのである。古い土地約束をヨシュアによるイスラエル部族の土地取得と結びつけることによって、この約束は全イスラエルのものと拡大されたのである。なぜならそれは元来は全イスラエルではなく、族長たちの神を崇拝する人々の小グループにのみ当てはまるものであったからである。

さて我々は約束の内容の順位について答えることができる。既に見た通り外見的には土地約束が決定的に優位である。それが主要内容ではないにしても、公然と受け入れられ、各時代にわたって伝承されていった言葉でもあった。数多い子孫の約束はこれとある程度同じ位に位置づけられるであろう。しかしそれは当然六書においては、エジプトにおいて多くの民となったと述べられて以後は、その現実性を失ったのである。しかし祭司典が約束の内容に一つ「私はお前たちの神であるであろう」を付加する時（創世記一七・七b、八b、一九b LXX, 出エジプト記六・七）、シナイ伝承からの逆投影であるという推量が非常にあたっている。なぜなら「私はお前たちの神、お前たちは私の民」という句はまさにシナイ契約締結の形式であり（申命記二六、一六―一九、二九・一一―一二、レビ記二六・一二、エレミヤ書三一・三三参照）、そのうち族長物語ではもちろん前半の部分のみが用いられただけである。族長たちへの約束に関して最も重要な叙述はもちろん創世記一二章一―三節である。これは古い伝承に依存していないテキストであって、ヤハウィスト自身によって計画的に定式化されたものである。[7] たしかに、全ての約束内容を総括しているにもかかわらず、土地約束が欠けていることは奇妙なことであろう。しかしヤハウィストがその約束の受領をアブラハムの信仰を試すためのものにしようとしたことは考えられてよいであろう。[8] 無批判に服従したもののみが土地約束を受けるのである（一二・七）。それゆえ土地約束は偉大なる計画的な神の語りかけからは少しばかり離れてはいるが、この特殊な取り扱いによってある重要性をもっているのである。――もう一度強調しよう。即ち六書全体にその特別な神学的刻印をおしているものは、土地約束からその成就にいたる偉大な緊張関係なのである。しかし我々が今概略したものが六書において唯一の土地に関する神学的表現なのであろうか。

「その土地は私のもの、お前たちは私と共なる寄留者、旅人である」（レビ記二五・二三）。この句は全体的なプログラムを含んでいると思われるが、この句によってどのような考え方が展開しているのであろうか。この句は族長時代から六書全体を貫いている土地約束とは明らかに関係していない。族長たちに約束され、ヨシュアによって分割された土地がヤハウェの土地であるとは決して示されていない。むしろそれはかつては他の民族に属し、ヤハウェが歴史的事件を通して彼の民イスラエルに与える土地なのである。レビ記二五章二三節が表現しているこの基本的な句が非常に古いものであり、古代イスラエルでは祭儀的な意義をもっていたことをアルトは示している。[9] この基本思想からまず第一に大切な宗教的休耕地が決定されたのである。これは七年目の仮庵祭に公告され、[10] その際「ヤハウェの本来的所有権が再確認されるのである」。[11] 地所は我々の意味における所有物ではなくヤハウェの血縁者に耕作使用権として与えられるものである。たまに掛けで耕作用に貸付けられた地所は籤によって個人のものとなり、これを חבל、חלק もしくは比喩的な語法では חבל もしくは חבל と呼んだ。しかし詳細については十分わかっていない。おそらく今日のパレスチナのように籤で決められた共用地のほかに私有地もあったであろう。[12] 家族の墓のある חבל は何代にもわたる世襲的な家族所有地であったし、籤とは関係のなかったことは明らかである。この技術的な面について旧約聖書ははっきりしたことを述べていない。[13] 即ち「籤がひかれた」(ヨシュア記一八・六)「(籤に)あたった」(例 ヨシュア記一六・一、一七・一)「測り縄が投げられる」(ミカ書二・五)「測り縄が落ちる」(ヨシュア記一七・五、詩篇一六・六)と述べているのみである。[14] しかしさらに重要なことは部族の חבל がいかなる意味をもち、部族が祭儀的行為によってそれを得たのかどうかを知ることであろう。アルトは「諸部族の境界に関する要請」[15] 即ちある特定の部族がある特定の場所にいたいというあの非常に古い、そして部分的には非常に理論的な要求について考察しているが、この要求は、ヤハウェ・アンフィクチオニーの中心地から拘束力をもってしかも場合場合によって新たに規定され公布された宗教制度に由来するのではないだろうか。土地割り当てがあまりにも少ないというヨセフ族の不平についての覚え書（ヨシュア記一七・一四以下）は明らかに非常に古いものであるが、これはそのような出来事を予想させるのである。部族ナハラーという輪郭の明瞭な考え方の存在については六書全体の語法から見れば疑いない。民数記三六章三節もしくはヨシュア記一七章五節のような箇所は部族が家族よりも上位の所有権者であり、נחלה の受託者であったことを示している。もちろん特に祭司典の場合後代の一般化を考慮に入れなければならない。シロにおける部族境界の籤についての叙述が歴史的なものとは誰も考えないであろう。しかし諸部族のנחלה に関する執拗なまでの語法は結局のところ非常に具体的な関係や考え方に由来するにちがいない。ただそれらはもはや我々には把ええないものである。

ヤハウェの所有としての土地という表現に戻るならば、この考え方の中には六書のいたるところで法典化されている祭儀的な取り入れの規定全ても当然のことながら属している点が付け加えられるであろう。なぜなら初子、[16]十分の一、[17]穀物を取りつくさずに残す等々[18]に関する律法は、ヤハウェ信仰の内部においてはいずれにせよヤハウェがその地の唯一の所有者であり、それゆえ人間に「彼の所有権の承認を要求する」[19]という考え方から解釈しなければならないからである。さらに祭儀的にみた土地の不浄化に対する諸規定もここに上げてよいであろう。異邦の土地はヤハウェの土地ではない。それゆえ潔白ではない。即ち他の神々の支配するものである。[20] その他、性的な違反や埋葬されない死体から土地の不浄化が生じると考えられたと思われる[21]（ヤハウェと土地との祭儀的な結びつきを無効にする偶像礼拝は除く）。ヨシュア記二二章の物語（その構成要素の年代決定は困難である）の根底となっている考え方は非常に注目に値する。ここで東ヨルダンの人々は、彼らおよび彼らの子孫がヨルダンの向こう側に住んでいるため、「ヤハウェの分（חלק יהוה）」を訴訟によって奪われてしまうのではないかという不安を表わしている。西ヨルダン地方は特に「ヤハウェの所有地（אחזת יהוה（一九節））」と述べられているのに対し、東ヨルダン地方は清くないという考え方は討議の余地があるだろう。その際エゼキエル書四八章において諸部族に対して全く厳密に教義学的に行なわれている土地分割を考えねばならない。そこでは東ヨルダン地方は全く省みられていないからである。しかしここでは後期の教義が影響を与えているかどうか、逆に本来西ヨルダン地方は諸部族の昔からの移住地域であり、それに対し東ヨルダン地方は二次的な「植民地域」[22]であったという非常に古い回顧が含まれているかどうかは不問にしなければならない。

以上指摘した点は、その地がヤハウェの所有であるという考え方がどの程度にわたって信仰生活に影響したかについて一つの概念を与えたであろう。そこで次の点が明らかになる。この考え方は族長たちに誓った土地約束とは全く性質の異なるものである。即ちそれは全く祭儀的なものであり、他の考え方は歴史的なものとしてそれとは区別しうる点である。[23] ヨシュア記二三章一九節を度外視すれば、本来的な六書の物語にとって祭儀的な考え方は広範囲にわたって全く非本質的なものであるといいうるであろう。それは全く歴史的な考え方に支配されている(クレドーの神学的図式における族長たちへの土地約束はヨシュア時代に達成される)。それに対し祭儀的考え方は最後期の教義に至るまで六書の律法を支配している(例　ヨベルの年)。そこでこの祭儀的考え方が、明らかに原ヤハウェスト的な歴史的考え方に対して元来はカナン的起源をもつものではなかったかという疑問が生じるであろう。それゆえ、この所から土地に関する神学的見方の二重性が説明されるであろう。バアル宗教ではバアルはまず第一に大地の所有者であり、全ての祝福の与え主である。しかしこの推論は全うしない。ヤハウェが土地の地主という考え方は最古のヤハウェの誡めにまでさかのぼり、明らかにカナン宗教との宗教混淆がまだ始まらない時代に既に存在していたからである。しかしそれゆえカナン的要素が六書における土地に関する神学的考え方に対して全然影響を与えなかったとはいいえないであろう。しかしその影響は他の面で与えられている。我我の考えではそれは土地に対するヤハウェの祝福について強調して叙述されている所に見出さるべきである。既に「乳と蜜の流れる」地という表現はこれに属するであろう。しかしとりわけ非常に楽園的な祝福の叙述（人間の胎児、牛の仔、籠とこね鉢、畑の実、雨、平和、野獣からの解放等々に対する祝福）(24) はカナンの自然宗教の側からの刺激をうけずに起草されたとは考えられない。

しかし今一つ補足をしておかねばならない。六書において土地に関する神学的言及が二つの根本的に全く異なる考え方にさかのぼるといっても、この二つの考え方が全然交差せずに存在したというのではない。諸部族間で土地を分割する叙述は祭儀的な考え方から出てきた諸概念や観念によって広く表現されている。この歴史的考え方が祭儀的なそれによっておおわれている点は二つの理由をもっている。それにはまず第一にそれ自体元来は祭儀的なところから出てきた古い資料やテキストを採用した結果である。第二に六書の資料は歴史的な考え方を広く拡大するにあたって概念的な点に関しては（נחלה, גורל, חלק の今日の用法を参照せよ）、祭儀的な考え方を借用したからである。しかしこれは外面的な出来事であり、これらの言葉の意味が漸次一般化され、その特別の用法が失われることによって可能であったのである。六書の物語においては、ヤハウェがその地の所有者であり、イスラエルはかくしてヤハウェの家臣であるという考え方自体は、支配的な歴史的考え方にはほとんど匹敵しえないのである。

六書の資料では偉大な神学的試みであるPとDtとがもちろん土地と土地取得に関して顕著な考え方をもっている。祭司典は神学的な図式を複雑な組織に仕上げたのである。族長時代は約束の時代であり、それはモーセ時代（シナイ）とヨシュア時代（土地取得）に成就したのである。新たに啓示され祭儀的に実現した神関係という点ではモーセ時代が、土地取得という点ではヨシュア時代が族長たちへの誓いの成就なのである。この神の成就が瓦解したならば、国民となったアブラハムの裔にとってその存在全体がおびやかされることとなったであろう。この民はまだ土地もなしにいかにして生活の糧を得るというのだろうか。ここにマナ物語に入ってくる。マナは土地取得後に民が生活の糧を得る祝福の前貸しなのである。イスラエルがヨルダンを越えてギルガルに宿営した時、マナは終わるのである。民は土地が実らせるものを食べるのである。[25] 族長たちと約束された土地との関係についてもPは概念的に正確に規定している。彼らは既にその土地に住んでいるが、それはまだ約束されただけであって、それを所有してはない。寄留の土地なのである。[26] しかし族長たちは土地に対して成就されない全く壊れた関係しか持たなかったのであろうか。彼らは本当に神に選ばれた約束の受領者であり、しかも成就を見ないで死んでいったのであろうか。この点については創世記二三章の初めて地所を購入したという物語は特に重要な意味をもっている。即ち族長たちでさえ既に手付金的な意味で小さな地所、墓地を自分のものとしたのである。死ねば彼らはもはや「ヘテ人」の地に寄留するものではなく、彼らもまた成就に参与したのであった。

申命記の場合第一に類型的にみて、あの信仰告白(クレドー)から発展した救済史的な試みとは全く異なる仕方で叙述されている点を明らかにしなければならない。申命記はその祭儀の中心においてヤハウェの誡律を守る誓いがなされたあのシケムの契約更新祭の伝承を発展させたものである。(27) したがってヤハウェによって約束された土地という思想は、それがシケム伝承には縁がないように、Dtでは何の役割も果たしていないと考えられるかもしれない。しかし実際はその逆なのである。取得すべき土地という考え方は最初から最後まで申命記を支配している。それは奨励風の演説のテーマであると同時に律法のテーマでもある。さて我々は次の点を最初に確認しうるであろう。申命記は族長の土地約束とシナイ律法伝承とを非常に緊密に融合せしめている。申命記の誡めは土地取得後異なる生活環境に入った人々のためにまず新しい祭儀や生活様式の概略を示そうとしているだけである。「お前の神ヤハウェが与える地に入るならば、お前たちは……しなければならない」。申命記の誡めはあらゆる場合このように規定されている。(28) しかしこのような誡律理解と並んで、誡めは農耕地における単なる新しい生活規範ではなく、誡めの厳守が農耕地を受領所有するための条件であるという理解が存在する点に注目すべきである。即ちイスラエルはその美しい土地に来てヤハウェが与えようとする土地に長く生活するために、これらの誡めを守らねばならないのである。(29) しかし土地約束をこのような条件で理解することによって、恵みの宣告が律法的なものに歪め始められることはなかったろうか。いずれにせよ申命記では土地がヤハウェの純粋な賜物と考える祭司典よりも本質的に進歩した状況を反映している。

このように古い伝承との明瞭な差異は נחלה という語の用法において示される。この場合でも申命記は伝統的な慣習にしばられず、新しい考え方 נחלה ישראל を広く用いている。(30) この言葉を全イスラエルの土地を表現するための用法はいわゆる古い制度にはなく、後代の教義的な理解と判断しなければならないことは明らかである。申命記はそれゆえそれ以前の六書資料が既に歩んできた道を最後まで進んだのであり、その点は強調されねばならない。ヤハウィストは族長たちの神の土地約束をヨシュアによる全イスラエルの土地取得と結びつけ、祭司典は土地取得と土地分割の出来事を強く図式化することによって、「大イスラエル的思想」にさらに重要な表現を付け加えたのである。(31) しかし部族のナハロートという概念を用いて描き、したがってそれが問題としている大イスラエルの土地をただ部族のナハロートの総計として描こうとしている限りでは、まだ不十分なのであった。申命記がはじめてこの古い考え方を廃棄し、全く新しい語法を導入することによって大イスラエル的土地に適切な表現を与えたのである。(32) ——土地の拡大化という注目すべき考え方[33]が歴史的な出来事と関連していたかどうか、もしくは既に申命記に存在した古いテキストの神学的―教訓(ハガダー)的解釈に依存しているのかどうか我々は知らない――その地に入ることによって民は安らぎ מְנוּחָה、救いを得るのである。これはまず申命記において用いられ[34]、申命記的文学において重要な意義をもつようになったのである。[35]その表現はまず全く具体的には荒野放浪の徒労の終結を意味し、居住地に入ったイスラエルをヤハウェが見守る平和状態を表わしている。しかし申命記は資料的には土地取得後の時代に由来するものであり、既に長くこの地に住んでいるイスラエルを今一度虚構によってホレブに置いているのであって、そこでは明瞭な終末論的な一本の線が全体を貫いているのである。それが語る救いの事柄全て、即ち「安らぎ」にある生活は約束としてヤハウェへの決断を迫まられている共同体の前に置かれているのである。ここに我々は旧約神学の興味深い問題の一つに直面しているのである。即ち歴史において成就される約束はそれによって非現実化されるのではなく、多少は変容されるかもしれないけれども、異なった次元においてやはり約束として存在しているのである。まさに土地約束はそれが成就されて後も常に未来の救いの事柄として告知されたのである。そのためには六書外の例証が引用されなくてはならないが、この問題は現在の我々の研究の領域外にある。

注

（1）ヨシュア記のリストはノートが別に判断しているにもかかわらず（Das Buch Josua [1938] S. XIV [2. Aufl. (1953) S. 13ff.]）、祭司典と考えられるであろう。「くじを引いて……与えた」という形式はヨシュア記一四・一b、二、一九・五一と堅く結びついている。そしてこれらの箇所はまた民数記三二・一八、三四・一七（P）と結びついている。今一つの問題は P^A の場合土地分割の叙述は全く包括的であるのに対し、P^B（v. Rad, Die Priesterschrift im Hexateuch [1934] を見よ）が場所と境界とに関して統一したリストを含んでいなかったかどうか、である。

（2）ただ一回 נחלה は血族の相続地を表わしている（申命記一九・一四a）。しかしこの箇所は申命記によって起草されたのではなくして、編纂された律法規定の中に入っている。

（3）レビ記二五・二三については後を見よ。

（4）v. Rad, Das formgeschichtliche Problem des Hexateuch（1938）S. 46ff.［七七頁以下を見よ］。

（5）A. Alt, Der Gott der Väter（1929）S. 71[Kl. Schr. I S. 66].

（6）E. Meyer, Die Israeliten und ihre Nachbarstämme（1906）S. 108 の B. Luther も同様。O. Eissfeldt, Hexateuchsynopse（1922）S. 30.

（7）A. Alt a. a. O. S. 72, Anm. 1 [Kl. Schr, I S. 67 Anm. 1]参照。

（8）H. Gunkel, Genesis^3（1910）S. 164.

（9）A. Alt, Die Ursprünge des israelitischen Rechts（1934）S. 65f. [Kl. Schr. I S. 327f.].

（10）出エジプト記二三・一〇以下、レビ記二五・一以下。

（11）A. Alt a. a. O. S. 65 [Kl. Schr. I S. 327].

（12） J. Kohler, Gemeinschaft und Familiengut im israelitischen Recht (Zeitschrift für vergleichende Rechtswissenschaft 1905 S. 217.).

（13） ヨシュア記二四・三〇、三一。

（14） L. Köhler (Theol. Rundschau N. F. 8 [1936] S. 252f.) は抽籤による土地分割は祭儀的なものではなく全く世俗的な出来事として理解すべきであると述べている。しかし我々の考えでは「籤という考え方が必ずしも厳密に神と関わりがあるとは限らない」というのは疑わしい。ここでは根本的な考え方だけが問題とされている（六書ではそれだけが問題とされているからである）。土地はヤハウェ信仰にとってどうでもよいものでは決してなく、גּוֹרָל は籤という場合ヤハウェの意志の実行機関として理解されていたのである。

（15） A. Alt, Die Landnahme der Israeliten in Palästina (1925) S. 26. 30 [Kl. Schr. I S. 117. 121]; Die Staatenbildung der Israeliten in Palästina (1930) S. 61 [Kl. Schr. II S. 51].

（16） 出エジプト記二三・一九、三四・二六、レビ記一九・二三以下、二三・一〇、申命記二六・一以下では初子の奉献がクレドーの救済史的な考え方から解釈されている点は注目すべきである。

（17） 出エジプト記二三・二八、民数記一八・二一以下、申命記一四・二二、二六・一二以下。

（18） レビ記一九・九以下、二三・二二。

（19） W. Eichrodt, Theologie des Alten Testaments I, Leipzig. 1933, S. 71 [5. Aufl. (1957) S. 92].

（20） サムエル記上二六・一九、ホセア書九・三以下、アモス書七・一七。

（21） レビ記一八・二五―二九、一九・二九、二〇・二二―二四、申命記二一・二三以下、二四・四。

（22） A. Alt, Israels Gaue unter Salomo (Alttestamentliche Studien für R. Kittel [1913]) S. 16

[Kl. Schr. II S. 87].

(23) この歴史的な考え方の例は六書の伝承以外では、士師記一一・二四である。「我々の神ヤハウェが我々の前から追い払われたものの土地に入って行こう」。

(24) レビ記二六・三—一二、民数記一三・二三、二八、一四・七以下、二四・三以下、申命記二八・二—七、一一—一二。

(25) ヨシュア記五・一〇—一二。

(26) 創世記一七・八、二八・四、三六・七、三七・一、四七・九、出エジプト記六・四。

(27) v. Rad, Das formgeschichtliche Problem des Hexateuchs (1938) S. 23 ff. [四二頁以下を見よ]。

(28) 申命記一二・一、一七・一四、一八・九、一九・一、二一・一、二六・一。

(29) 申命記四・二五以下、六・一八、八・一、一一・八以下、一八—二一、一六・二〇、一九・八以下、二八・一一、三〇・一七—二〇。

(30) イスラエルのנחלהという考え方は、前申命記的資料では士師記二〇・六のみに存在する。それに対しイスラエルがヤハウェのנחלהという語法は、古い時代に用いられていた（サムエル記下二〇・九、二一・三）。

(31) この概念に関しては K. Galling, Die Erwählungstraditionen Israels (1928) S. 68 参照。

(32) 統計によれば申命記はそうせざるを得なかった場合にのみ、既に固定した特殊概念を用い、この語法は用いなかつた（レビ、ルベン、ガド、半マナセ）

(33) 申命記一二・二〇、一九・八。

(34) 申命記一二・九、二五・一九、二八・六五。

(35) v. Rad, Es ist noch eine Ruhe vorhanden (Zwischen den Zeiten 11, [1933] S. 104ff.).

旧約における創造信仰の神学的問題

（一九三六年）

旧約のヤハウェ信仰は選びの信仰、即ち本質的には救済信仰である。この点について理由を述べる必要はないと思うが、このように定義することによって、これから取り扱おうとする問題が既に簡潔明瞭に示されているのである。この旧約を支配する救済ならびに選びの信仰と、同じように旧約の中に証言されている創造信仰との間には神学的にいっていかなる関係があるのだろうか。救済信仰に対して創造者としてのヤハウェ信仰はどの程度現実性をもつのであろうか。ところでこの問題は宗教史的にではなく、神学的に検討しなければならない。即ち旧約の信仰においてこの創造信仰が占めている特に神学的な場を提示しなければならないのである。さらに厳密にいうならば、旧約において支配的な救済信仰に対してこの創造信仰が独立しているのか、もしくは関連があるのかの問題に答えねばならないのである。それゆえ我々は今日非常に論議されている問題と係わりをもっている。私はそれを示唆するのみにしよう。預言者もしくは詩篇において自然は被造物として信仰の主題となっているであろうか、救済信仰は神学的にその不可避の基礎として創造信仰を前提としているであろうか。W・リュトゲルトは最近の著作『創造と啓示』において、旧約の箇所を引用しつつ、この創造信仰を弁護している。彼によれば創造の自己証言がなければ預言者の言葉も確信を得ることがなかったであろうし、預言者が語る救済の言葉の中に聴衆たちは既に啓示されている創造者を再確認するのであるという。(1) もしこれが支持しえないものとすれば、救済信仰と創造信仰は神学的にいかなる関係をもつのであろうか。この問題に直接進む前に二、三注意すべき点を見ておきたい。自然についてイスラエルが遭遇した最大の誘惑はカナンのバアル宗教が原因であった。この危機の重大さについてはホセアや申命記から知ることができる。しかしホセアも申命記の神学者たちも、自然および自然力が全てヤハウェの被造物であるという創造信仰を根拠として自然信仰を論破しようなどとは考えなかったのである。逆にカナン的なものへの逸脱に対する反論は驚くべきことに常に歴史的なことがら、つまり救済史的になされたのである。即ちヤハウェはイスラエルにその地を約束し授与したのであり、それゆえヤハウェはまた耕作上の祝福の与え主でもあるのである。最も注目すべきは申命記二六章五節以下における初物を奉納する際に唱える祈りに用いられている用語である。信者は創造神が実らせた果実のゆえに感謝しているのではなく、神が歴史的な救済行為によってこの地に導き、その結果この土地の祝福の相続者となった民族の一員として告白しているのである。したがってイスラエルは最古の時代からヤハウェとこの土地、耕作との関係を知っていたのである。ヤハウェの歴史的な救いの業を通してその民に与えられ、しかしなおヤハウェの土地である、祝福をうけた土地として理解していたのである。レビ記二五章二三節「地（アダマー）はわたしのものであり、お前たちはわたしと共にいる寄留者、旅人である」は非常に古いものであり、旧約の土地法の基本である。――しかしこれは決して創造信仰ではなく、この句はつねに神の救済史的な恩寵行為に対する信仰に基礎をおいている。しかもこの句は創造信仰の「前段階」でもなく、我々の見る限り、それとは何ら関係がないのである。このような全く否定的な結論はこれから我々が向かおうとしている神学問題の特殊性を良く示してくれるのである。いずれにせよ我々は多くの旧約神学の中でこの点に関して示されている、特に聖書の冒頭の創世記一章によって世俗一般に広まっている非常に単純な考え方を本質的な点で訂正しなければならない。

この目的を達成するために我々は普通行なわれている方法をとらない。即ち創世記一章の創造物語を討議の中心にはおかずに、詩篇や第二イザヤの讃歌に現われた創造信仰から始めるのが目的にかなった方法であろう。それらは学者的な神学的組織に圧迫されているように見える祭司典とは異なって、ほとんど神学的な結びつきのない直接的な声であって、宗教的な現実を表わしているからである。

詩篇一三六篇は連禱（リタニー）であって、ヤハウェの奇跡の業を誉めたたえている。五—九節は世界創造について述べるが、一〇節からは急に転回してヤハウェの歴史的な業について述べる。それゆえここでは創造信仰と救済信仰とは全く結びつかずに並んでいるのである。この連禱（リタニー）の生硬な様式のゆえにここではこの二つの信仰表現の内的な関係については特別なことは何も明らかにされていない。ただ創造信仰がここに単独で存在しているのではないことだけは明らかである。即ちこの詩篇は創造信仰から進んで救済の業にまで言及している。しかもこの後半の部分にこの詩篇の中心点があることは間違いないのである。

詩篇一四八篇も全く同様である。ここでも世界創造と救済の恩寵とが別個にほとんど関連のない二箇所で讃美されている。詩篇三三篇もこれらと同じ部類に入るであろう。ここでも創造の出来事が内容豊富に描写されている。「もろもろの天はヤハウェの言葉によって創られ……命じられると、堅く立ったのである」。しかしこの歌の場合もこれだけに止まらない。歴史におけるヤハウェの救いを誉めたたえているのである。「彼はもろもろの民の計りごとを空しくする……ヤハウェが神である国は幸いである」。ここに来てこの詩篇は自己の主張を歌う。創造論（プロトロギー）から救済論（ソテリオロギー）へと移行しているのである（ここで非常に神学的用語を用いたとしても許されると思う。現在の目的のためには、これによって本質的なものを巧みに表現できる）。次に第二イザヤの典型的な讃歌の箇所を検討するならば、さらに先に進むことができるであろう。

「ヤコブよ、お前は何をいうのか。イスラエルよ、お前は何を語るのか。わが道はヤハウェの前に隠されていると、……お前は知らないのか、それとも聞かなかったのか、ヤハウェは永遠の神、地の果ての創造者であって、弱ることなく、また疲れることなく……弱った者には力を与え、勢いのない者には強さを増し加えられると。年若い者は弱り、かつ疲れようとも……」。
（イザヤ書四〇・二七以下）

二八節の創造信仰はそれ自体のために述べられているのではなく、また預言者が民に向かって語ろうとしたものでないことは直ちに理解されるであろう。預言者は神の救済の恩寵について語っているのであって、不信仰者と戦って神の無限の力への信頼を呼びおこすために、彼は世界創造の業に立ち返っているのである。第一の僕の歌はまさにそれなのである。

「天を創り……地を伸ばしたヤハウェはこう言われる、わたしはヤハウェ、お前を召した……」。
（四二・五）

世界創造については第二イザヤにおいてしばしば叙述されているが、このように基礎工事的な役割を果たしているのである。創造信仰がそれだけではほとんど問題とされていない。そのことはこの預言者がそのような箇所において世界創造についての叙述をいきなり中断し、神の歴史における力ある業について話を移行している点から明らかにされるであろう（四〇・二一以下、四四・二四以下、四五・一二以下）。さてこの段階で既に一つの重要な命題を述べよう。第二イザヤ全体において創造信仰がそれだけで単独に表現されている箇所は全然ない。それは決して預言者の言葉の中で主題となることはなかった。確かに存在するにはちがいないのだけれども、補助的な役割のために用いられただけなのである。それは救済の言葉に対する信仰を呼びおこすために、救いの言葉を支えるものであり、救いの言葉がさらに力強い信頼をうけるものとされるための立派な引き立て役なのである。――それとももっと異なったものであろうか。

この重要な点に着手する前に、すこしばかりアモス書の頌栄（ドクソロジー）についてみておこう。(2) そこでも創造者の力が讃美されており、疑いもなく神学的な機能を果たしている。しかしこの頌栄は神学的な補遺であり、後代の考え方が反映して出来たものである。とはいうもののこれらの頌栄には、本来ならば補遺されるにふさわしい独立した使信は全然含まれていないが、補助的な役割は果たしているのである。それによって預言者の言葉が宇宙的なものになり、新しい次元が開かれるからである。

第二イザヤに戻ろう。創造信仰と救済信仰の神学的にいって最も本質的な点についてまだ述べていないからである。我々はまず最初に預言者の託宣の最初の部分に現われる創造信仰と救済信仰の並存についてみよう。それは第二イザヤの場合既に公式として慣習的に用いられているのである。

「ヤコブよ、お前を創造されたヤハウェはこう言われる。イスラエルよ、お前を造られたヤハウェはこう言われる、『恐れるな、わたしはお前を贖った』」。（四三・一）

「お前を贖い、お前を胎内に造られたヤハウェはこう言われる……」。（四四・二四）(3)

ここで顕著な点は、我々の考え方からすれば非常に異なった性質をもつ信仰内容が二つ簡単に並列されていることである。それは第二イザヤにとっては世界創造もイスラエルの贖いも同じ神の業であり、原初において起こったこととイスラエルに今起こるであろう「新しいこと」（四二・九、四八・六）も同じヤハウェの救済意志によるかのように受け取られている。そして事実そうなのである。上に引用した箇所を続けて読むならば創造論的（プロトロギッシュ）なものが救済論的（ソテリオロギッシュ）なものと並んで合奏している点に全く驚かされるのである。

「わたしはヤハウェ、よろずのものの創り主、わたしだけが天をのべ、地をひらき――だれがわたしと共にいたか……僕の言葉を遂げさせ……エルサレムについては『これは民の住む所となれ』と言い……淵については『かわけ』と言い……クロスについては『わが牧者、わが目的をことごとく成し遂げよ』と言う……」。（四四・二四b―二八）

世界を混沌から創り出した創造者、ヤハウェはエルサレムをも混沌の状態にはしておかないであろう。淵の水をかれさせた神は、エルサレムを新たに建てられるであろう。ここでは明らかに創造信仰は預言者の救済信仰の中に力強く関連づけられているのである。さらに第二イザヤの場合でも我々の神学的問題にとって最も顕著な箇所を続けて考察しよう。

「醒めよ、醒めよ、力を着よ、ヤハウェの腕よ、醒めて、いにしえの日、昔の代にあったようになれ、ラハブを切り殺し、竜を刺し貫いたのはあなたではないのか。海をかわかし、大いなる淵の水をかわかし、また海の深き所を贖われた者の過ぎる道とされたのはあなたではないのか」。（五一・九以下）

ここでは何が起こっているのか。明らかに預言者はまずヤハウェの世界創造について語る。しかしこのヤハウェの業を奇妙にも時間を約めて直接紅海における救いの業と結びつけて見ている。一瞥したところでは信じがたいような移行がここではなされているのである。しかし第二イザヤにとって世界創造は紅海における救済とは全く異質の部類に属するものではない。預言者は熱烈な確信をもって救済信仰をもっているのであるが、神学的な思考にとっては異なれる二つの業として述べられているものが、預言者の目には同じ宇宙的な神の救済意志として映っているのである。ここで創造信仰は救済論的な考え方の中に完全に結びつけられている。しかもそれはあまりにも完全になされているので、混沌（カオス）・竜（ドラッヘ）・闘争（カンプ）という一つの像の中に創造信仰と救済信仰とが共に見られるのである。さらにここで異なる点が見られる。第二イザヤはヤハウェを創造者、イスラエルを最初に形成した方として描写しているけれども、イスラエルを選んだという考え方を持たない点は驚くべきことであるかもしれない。事実第二イザヤの場合、彼以前の預言者と異なって、神の選びの業が言及される代わりに、イスラエルの創造について語られている点で一つの変化がみられる。第二イザヤが「お前を胎内につくられた、お前の贖い主ヤハウェはこう言われる」（四四・二四）と語る時、事実彼は創造の奇跡を念頭においているのであって、歴史的な選びの業をではないのである。しかしこの選びに代わって創造について言及していることは神学的には決して根本的な変化ではないのである。それでもって第二イザヤは、我々が見た通り、救済信仰の道から逸れてしまったのではなく、全く救済論的な枠内に留まっているのである。この預言者の場合創造信仰が救済信仰に全く溶け込んでいる適例は五四章五節である。

「お前の夫はお前を造られた方であり……お前を贖われる方はイスラエルの聖者である」。

この独特の神学観が預言者の自由さを示しており、あらゆる規制から免れているということには異議はないであろう。もしこの点に関してより深い理解をもって再び詩篇に戻るならば、創造信仰と救済信仰との同じような関係をしかも重要な箇所で見出すであろう。この点に関して特に詩篇八九篇があげられる。型通りの序言のあとこの詩篇は世界創造におけるヤハウェの業でもって始まる。

「あなたは海の荒れるのを治め、……ラハブを、殺された者のように打ち砕き、……もろもろの天はあなたのもの、地もあなたのもの、世界とその中にあるものは、あなたがその基をおかれたものです。北と南はあなたがこれを造られたもの……あなたは大能の腕をもたれます……」。

しかしこの所からこの詩は急激にその主題であるダビデ契約に進む。その契約によってヤハウェが強烈に想起されているのである。しかしこの詩人は特殊な文脈においてなお世界創造から出発してヤハウェの力ある業を想起する時、それは決して無駄な冗漫さからそうしているのではないのである。世界創造からダビデの王位に対する救済の約束にいたるまでこの詩に叙述されているものはすべて、この詩の最初に語られている一つの主題にそっているのである。「わたしはヤハウェのいつくしみを歌うでしょう」（二節）。かくして世界創造も חַסְדֵי יְהוָה 救済の業に属するのである。この幾分驚くべき仮説は詩篇七四篇にもはっきりと見られる。

「神はいにしえからわたしの王であって、救いの業を地の中に行なわれた。あなたはみ力をもって海を分かち、水の上の竜の頭を砕かれた……あなたは泉と流れとを開き……昼はあなたのもの、夜もまたあなたのもの、あなたは地のもろもろの境を定め、夏と冬とを造られた、神よ、起って戦ってください」。

詳細な点については触れないでよいであろう。ここで興味ある点は「救いの業」と訳することのできるישועותという言葉のもつ意味である。即ち世界創造と自然の秩序である。

ここでしばらく話を中断しよう。ヤハウェが世界を創造したという信仰についての多くの証言を我々は見出した。しかしそれは単独では存在せず、宗教的現実性をもつ主題として表現されているのでもなく、つねに救済信仰の内容と関連して、いな依存して表現されているのである。我々は創造信仰が重要な箇所において時に救済信仰の中に同化されているのを示すことができた。**創造の業をこのように救済論的に理解すること**――先取りして主張されているのだが――、これがヤハウェを世界の創造主としても見るヤハウェ信仰の最初期の表現だと我々は考える。そしてこのヤハウェ信仰はもっぱら混沌（カオス）・竜（ドラッヘ）・闘争（カンプ）という神話的要素を通して表現されたのである。しかしこの神話的要素はヤハウェ信仰によって非常に早くから吸収され、その本来的な独自性は失われてしまった。

祭司典の創造物語については詳しく扱わないでおこう。創世記一章は決してそれだけで独立した神学論ではなく、大きな、同心円を描いて内へ内へと旋回してゆく教義学的な試みの一部分なのである。もちろんこの著者の神学的立場はヤハウェとイスラエルの間の救済関係の最も内部の円にある。この救済関係を正当化するために、彼は歴史の流れを世界創造から始めるのである。この歴史の流れにしたがって、神の民の救いを基礎づける新しい定めや制度が段階的に明らかにされていくのである。(4) したがってここでもヤハウェの世界創造はそれ自体で存在するのでなく、Pの叙述は、創世記一章も含めて全く救済史的な考え方に規定されているのである。この点に関しては祭司典と詩篇八九篇もしくは七四篇との間には根本的、神学的差異は何らない。しかし円を明確に描いたこと、即ち神学的な差異を理解して世界創造の円とノアを中心とする円とを明確に区別したことは最大の業績といわねばならない。

他に何があるだろうか。ここで旧約の創造信仰を証言するものとして一般に認められている詩篇、詩篇一九、一〇四、八篇について語らねばならない。詩篇一九篇において我々は全く新しいものに出会う。即ち全宇宙が神の証言をしているという考え方がそれである。しかしそれが旧約の中で広い基盤をもっているとはいえないのであって、むしろこのように明確な箇所は他にはないのである（同時に抑制も顕著な点である。創造はエロヒームの啓示ではなく、いわんやヤハウェの啓示でもない。この詩篇は「El の栄光（カボド）」を告知しているのであるが、この El は「神性」とでも訳すべき語であって、最も中性的な語が選ばれている）。詩篇一〇四篇においても、例えば創世記一章にはほとんどない考え方が存在しているが、ここでは全宇宙はそのすばらしさによって神の知恵と力とを知らしめているという間接的な表現がなされている。[5] 詩篇一〇四篇は純粋にそれだけで独立して創造信仰を表わしている点で詩篇一九篇と同列に考えられるであろう。事実ここではヤハウェの世界創造がテーマになっている。これはヤハウェ信仰の証言の中でも顕著な見方であると我々は考える。ところでこれらの詩篇の起源が問題となってくる。実際、詩篇一九篇も一〇四篇も元来はイスラエルのヤハウェ信仰を証言するものではなかったのであり、偶然にもかろうじてトルソとして残っている詩篇一九篇の前半は古いカナンの讃歌の断片であって、後代になって二次的にヤハウェ信仰に同化されたのであると長い間主張されてきたし、同様にアトン讃歌が一〇四篇の詩人に少なくとも影響を与えたことも言われてきたのである。私はここで全く関連なしに、あの創世記一四章一九節のいわゆる孤立した創造信仰証言を取り上げよう。

「願わくは天地の創り主、El eljon がアブラムを祝福されますように」。

ここにもまさに世界創造者についての神学的表明のみがある。この場合でもイスラエル外の影響が認められる。フィロ・ビブリウスは天と地は *'Ελιοῦν καλούμενος 'Ύψιστος* によって創られたと書いている。[6] この点は考える契機を与えるし、この証言の重要さを疑うことはできない。事実ヤハウェ信仰はこの要素を吸収し同化したのである。しかしこれらの要素は、ヤハウェ信仰と調和しないものが受け入れられなかったように、拒否しようと思えば容易に拒否出来たものであった。しかし今はこの信仰態度の全く異なった根源を示すのが重要である。そこではヤハウェ信仰の中心にはなかった考え方、むしろ外部から流入してきた考え方が、ヤハウェが世界を創造したという宗教的な見方を表現するに最適なものと見なされているのである。ではそれらはどこに起源をもつのであろうか。この問題に答えるには旧約の知恵文学を引用しなければならない。そこには独立した創造信仰との明白な関係が見られるからである。フィヒトナーが示しているように、[7] 応報信仰は創造者信仰に基礎をもっている（良く考えられているように契約の神の審きに対する信仰にではない）。

「貧しいものを嘲けるものは、彼の創造者を侮る」。（箴言一七・五）

アメノフイス（二五章）にはこう書かれている。

「盲人を笑うな、小人を嘲けるな
人はしっくい、わら、神はその制作者
日々彼はこれを毀わし、これを造る」。

創造神をこのように自由に引用するのは明らかにエジプトの思想家の影響である。さらに Meri-kerê への教訓には、

「神の群れである人間は憂いがない
神は思いのまま天と地を作られ……
大気を作られ……草、家畜、鳥、魚を彼らのために作られた」[8]。

アムン讃歌には、

「アムン　人間を作り、動物を創った方……
果樹を創り、草を作り、家畜を養う方…」[9]

とある。そこで我々は再びあの明晰な非神話的な考え方に遭遇する。ここにはカオス神話の名残りを全然とどめていない。我々が見るように、詩篇一〇四篇と八篇[10]もこのような考察方法をして

いるが非常に省察的なものであって、世界における神の経綸に関心をよせ、ものごとを理性的に理解しようとする意志が現われている。また同様に特に人間の理性に働きかけ人を驚嘆へとかりたてるのは「謎」であって、あの神話的な世界解釈のもつ奇異な要素とは全く異なるものである。[11]知恵文学的な思考の影響がそこにはないのであろうか。そこにはエジプト的な見方があって、おそらく大旅行家であった知恵の教師を通してイスラエルに伝達されたものだと思う。[12]

詩篇八篇もまた創造信仰を証言しているのであって、あの特にヤハウィスト的な救済と選びの信仰よりも、理性的にものごとを省察する信仰態度から出てきたものである。その形態が非常に簡潔で自然さを保っているとはいえ、この詩篇の信仰は反省的なものを強くもっている。天と月と星を眺める時、創造の不思議な業を思い浮かべる時、人間とはいかに小さいものなのか。しかしこれが驚くべき栄光に満ちた分岐点なのである。神は人を配慮をもって守り、彼に救いを与える。このような宇宙に対する反省の態度は重要であると思われる。ここでも創造をそれ自体のために考察するということはなされていないが、それは神の人間に対する救済の奇跡を驚嘆をもって眺める出発点なのである。

この問題をこれ以上続けることは必要ないであろう。我々の主題はこうであった。即ち純粋なヤハウェ信仰においては創造信仰は単独には存在しなかった。全く救済論的な信仰と結びつき、否、依存していたのである。しかしそのことはその起源が新しいということを必ずしも意味しない。カナンにおいては創造信仰は明らかに既に非常に古い時代から存在したのであり、カオス神話という神話的な見方によって既にイスラエル以前の時代に祭儀で重要な役割を果たしていたのである。ヤハウェ信仰は早い時期にこの要素を吸収したのであるが、イスラエルの信仰が救済史的なものと結びついていたため、世界創造信仰は決して独立したものとはならなかったのである。したがってそれは救済論的な信仰表白をより強化するための宇宙的引き立て役となるか、救済論的な信仰の中に組み込まれてしまったのである。

しかし全く異なった性質の影響がヤハウェ信仰の中に知恵文学という形をとって流入してきた。それは非常に理性的に神の世界における経綸を考察しようとするのであり、その根源としてエジプトを考えることができる。ここにおいて我々は純粋な独立した創造信仰証言に出会うのである。もちろんこれらの箇所がつねにヤハウェの世界創造に関するヤハウェ信仰の表明として書かれたのであるにしても、それによって旧約の信仰が変わって理解されることはなかったのである。しかしこれらの証言の価値を低く評価してはならない。ただイスラエルでは純粋な創造信仰に対する証言が自由に行なわれる以前に、まずそれとは非常に異質の、神学的見地からいえば、より中心的なものが確固たるものとして語らねばならなかったのである。いいかえるならば、救済信仰は絶対に確保されねばならなかったのであり、その結果、自然もまた神の啓示であるという信仰は傷つき損われることなく、救済信仰の内容を豊富にし拡大するものとなったのである。

さて最後に純粋に宗教史的な方法によっては旧約の信仰に到達しえないことを指摘してこの論文を終えたい。創造信仰がほとんど意義をもたないという事実から、それが後代になって「発展したもの」と推論してきたのは誤っていたのである。しかしもちろん今になってそれが古いものであると考えるだけでは不十分なのであって、旧約の信仰表白の神学的構造を探究しなければならないのである。

注

(1) W. Lütgert, Schöpfung und Offenbarung. 例えば S. 52, 56, 358.
(2) アモス書四・一三、五・八以下、九・五以下。
(3) イザヤ書四四・二二参照。同様に四六・三、五四・五。
(4) v. Rad, Die Priesterschrift (BWANT, 4. F. Heft 13) 188.
(5) ヨブ記一二・七―一〇、イザヤ書四〇・二一を参照せよ。
(6) Fragmenta Historicorum Graecorum ed. C. Müller, Vol. III, 567.
(7) Fichtner, Die altorientalische Weisheit in ihrer isr.-jüd. Ausprägung BZAW 62, 111 f.

(8) Greßmann, AOT² 35 f.

(9) Erman, Literatur der Ägypter 352.

(10) 詩篇一〇四篇にもカオス神話の残響がある。これはもちろん、エジプトのものには欠けている。後代になっても、昔の考え方が有用であったというしるしである。

(11) 純粋に技術的な謎に対する驚嘆がどんなに強く前面に出ていることか！

(12) 同様のことが、箴言八・二二以下に見られる。

古代イスラエルにおける歴史記述の開始

（一九四四年）

歴史記述は現代の西欧民族にとっては自明の精神的行為である。我々が人間存在をより深く理解するには不可欠のものであるようである。西欧の文化圏にいるものは、この点に関してはギリシアと聖書の歴史記述の弟子であり相続者なのである。この偉大な精神史的な相互関係を一時度外視するとしても、「史的感覚」が厳密に意味しているものが決して全ての民族文化において広く行なわれてはいないといわざるを得ない。史的感覚は原因結果的な思考の特殊形態であり、つまり政治的な出来事のより大きな流れを知るために用いられる。それは一つの民族が現に存在しているその現実に対する特にとぎすまされた感覚なのである。古代民族の多くがこの洞察力にとんだ存在理解をもたなかったことを示すのは困難ではない。彼らが歴史の中に存在していること、即ち逆行のゆるされない時の流れの中にいるという点は彼らには問題とはならなかった。彼らは偉大な政治的出来事をその歴史的な制約の中で見ず、したがって歴史的出来事をより大きな因果関係に秩序づけるにはいたらなかったのである。それゆえ彼らは歴史を記述することはなかったのである。もちろんこれらの文化とて多種多様の歴史文書を録している。宮廷日記、年代記は集成され、王の系図が作成され、町史が書かれたのではあるが、それらは全てまだ歴史記述ではなかった。さらに戦争記録、記念碑、支配者たちの建てた建造物の記録は歴史記述というには値しないであろう。「支配者やその先祖の単なる系譜は、それがいかに長くとも、それ自体では決して年代志的な思考の徴候ではなく、伝統によって大切に保存され、新しいものの始まることのない保守的な制度や慣習を示しているにすぎない」[1]。古代エジプト人の特徴は上述の意味において歴史的に考えることができなかった点にある。彼らは非常に保守的に個々の過去について骨董屋的に考えたが、より大きな相関関係を把えようとはしなかったのである[2]。メソポタミアの文化は、歴史の変動が激しかったにもかかわらず、やはり個々の歴史文書や上述したようなものを凌駕する歴史記述を何も創出することはなかった。必要な場合には系譜学を利用して歴史的な出来事の流れを集中的に把握する試みもあるであろう。しかし民族史を明白に叙述し解明しようとするには何ら役に立たないのである[3]。ベロッソスがはじめて歴史記述を行なおうとしたのは、大帝国が歴史の舞台から消え去ってからかなりたってからであった。しかしこの試みもギリシアの影響を受けてであった。それでも厳密な意味では歴史記述ではなかった。というのは「真のその時代を忠実に表現している歴史記述というものは、どのような形をとるにしろ常に政治的な生活から萌芽するからである」[4]。したがって古代において本当に歴史を記述したのは二つの民族のみである。即ちギリシア人と彼らを遠くさかのぼるイスラエル人とである。そして後者の歴史記述のまず最初の段階のみを叙述するのがこの論文の課題である。

古代イスラエルにおける歴史記述の「起源」については叙述することができない。しかしそれはある特定の時点にあったのであり、その最も発達した形が我々に残されているのである。だがこの民族がこのような業績をなすことができた前提は示しうるであろう。まず第一に我々が先に述べた「史的感覚」といったこと、即ち歴史を意識して経験しうるはっきりとした能力をあげることができるであろう。全ての存在を歴史と結びつけて考えようとする知性の努力が特に払われており、それゆえ理想よりも現実を優先させているといいうるであろう。(5) 非常に古い時代から自己の起源について熱烈に知ろうとした民族はそう容易には見つかるものではない。古代にあってどの民族が、彼らが昔には放浪の民であることを自覚し、彼らが定住するようになった時期を確実な資料でもって例証しえたであろうか。(6) 「彼ら以外には、民族形成開始時代にまでさかのぼる真に歴史的な何代にもわたって伝えられてきた伝承をもつ民族はないのである」(7)。その歴史的思考はかくして彼らの存在理解の最も重要な様式であったのである。種々の注目すべき事実や状況に古代イスラエルの人々が直面した時、彼らにとってはそれらの由来、生成をその場その場で問うことは避けえない問題であった。その適切な例証として、彼らが真の歴史記述をもつ以前から存在した一つの旧約の物語類型、即ち原因譚的な物語を示すことができよう。しかもそれが他の民族においてもこのように数多く多様に用いられていたかどうか問うことができる。

原因譚的物語は、特別なこと、説明のつかないことが人々の目を引いた場合にはいつでも点火されたのである。それは読者をして過去に目を向けさせ、問題を解明する一つの出来事を示すことによって、それらの存在する理由を与えようとするのである。その構成と思考方法の最も単純なのは場所に関する原因譚である。なぜアイの町の門前に石が積まれてあるのか（ヨシュア記八・二九）、ギルガルの十二の石は何を意味しているのか（ヨシュア記四・二〇以下）、どのようなわけでカナンの人々がエリコに定住しているのか（ヨシュア記六・二五）、なぜ昔のエリコの破壊されたあとには人が住まないのか（ヨシュア記六・二六）。これらの物語では過去と現在の事実との結びつきがかなり弛んできている。これに対し氏族に関する原因譚、民族学的説話の場合にはさらに現在との関係が強い。創世記九章一八―二七節ではなぜカナン人が奴隷の身分になり下がってしまったのかという問いに答えている。それによれば彼らの淫奔さと性的な粗野の結果なのであった（レビ記一八・二四以下参照）。なぜイスラエルと同族のイスマエル族が荒野の民でありつづけねばならなかったか（創世記一六章）、いかにしてアンモンとモアブ族が成立し、イスラエルといかなる親族関係にあるのか（創世記一九・三〇以下）、いかにしてかつては兄弟であったエドム（エサウ）とイスラエル（ヤコブ）とが分離し、後者が優位を占めるようになったのか（創世記二七章）。これらの物語で与えられている答えについていかに我々が判断しようとも、いずれの場合にも非常に真面目な問いが歴史に向けられているのである。常に現在を過去から説明しようとする努力が見られるのであり、それは明らかに歴史的思考の表現なのである。[8] イスラエルの人々が存在理解の様式をいかに多様に集約的に用いたかを示すために、この原因譚的な発想が全く異なる方法で用いられたことについても述べようと思う。即ち前歴史に関する原因譚である。人間の畑作労働のむなしさはどう説明されるのか、神が不調和なく創られた世界になぜ産みの苦しみがあるようになったのか（創世記三・一六以下）。なぜ民族はばらばらになって互いに理解しあえないのか（創世記一一・一以下）。ここでは問いの対象は全く普遍的なものである。人間存在に根本のものとして与えられたものが原因譚的に推論されている。しかも――それが重要なことだが――歴史、人類が神と共に歩んできた唯一回きりの道という意味で把えられている。

ここであげねばならない第二の前提は、小説家風に叙述するというイスラエルの全く特異な才能である。その点については数多く書かれているので、ここではこの事実を簡単に述べるだけで十分であろう。人間や状況の特徴を非常に簡潔に描出する能力は西欧の文学の模範となったのである。その様式は簡潔平明であって、といって極端に走ることなく、しかも決定的に重要な場合においてさえ素朴である。しかしこのような叙述態度は読者に力強さと内容の重厚さとの印象を与えるものなのである。

第三の前提についてもここで述べようと思うが、これはもちろん全く異なった次元にあるものである。それはこの民族の独特な信仰把握からきている。ここでもまた一般的なことだけを述べて、次の章で述べることについては触れないでおこうと思う。非常に古い時期からイスラエルは特殊な出来事は全て神の直接の業であると考えてきた。他の宗教ではデーモンその他名のわからない力によると考えられた出来事を、公的私的生活に限らず、旧約の人々はヤハウェに由来すると考えた。サウルを襲った憂欝はヤハウェから送られた悪霊であったし（サムエル記上一六・一四）、エルサレムのペストは同じくヤハウェの定めたものであった（サムエル記下二四・一以下）。神が全てのことに働きかけているという考え方は全体に行きわたっており、信仰にとってはいかなる選択もありえなかったのである。この因果関係が中断するなどということは考えられなかったのである。「ヤハウェが行なわれるのでなければ、不幸がこの町におこるだろうか」とアモスは問い（アモス書三・六）、聞き手にこの（素朴な宗教的立場から見れば不都合な）最後的結論を強いている。このような信仰概念が、収拾しがたい歴史的事件の連続の中にある人々に一つの力強い秩序原理を与えたにちがいないことは明らかである。さらに進んで古代イスラエル人が個々の出来事の単なる連続を歴史として眺め理解する力を持ったのはその神信仰の特質によるといわねばならないであろう。ギリシアの歴史（ヒストリエ）とは完全に異なることを明瞭にするために、旧約の歴史思想の宗教的基盤を初めから考慮するのは良いことである。イスラエルは神が歴史を統治するという信仰からまず歴史的考え方に至り、次いで歴史記述を始めるようになったのである。彼らにとっては「歴史は神の行なうことなのである。神はその約束でもって行為を始め、その意志にしたがって目的を定め、それを監視するのである…… 全ての歴史は神に始まり、神のためにあるのである」[9]。

我々はここにおいて非常に独特な歴史観に出会うのである。出来事の主要点はこの地上の舞台上にはないからである。このドラマの俳優は民でも王でも有名な英雄でもない。それゆえ彼らは決してその叙述の対象でもない。だがこの地上の出来事は息を呑むような興味と内的関心とをもって追求される。というのはそれが神の業の働き場所だからである。ヘロドトスもまた「しるし、預言、夢などいろいろのことを通してこの地上の出来事の領域に働きかける形而上的な力」[10]を知っていたことは確かである。しかしこの力はその場その場において示されるのであって、首尾一貫しているのでも、歴史の流れと内的に関係しているのでもない。ヘロドトスの場合歴史叙述の対象は最初から最後までギリシア人と野蛮人との戦いという人間的な事柄なのである。そして彼がその緒言でいっているように、彼の目的は偉大な出来事の栄光が忘却されてしまわないようにすることであった。ツキュディデスはもちろんヘロドトスよりも明瞭である。彼は神々の働きかけということに関しては「氷のような冷たい懐疑」[11]を投げかけているのである。しかし我々の観点からするならば、この両者の差異はさして重要なことではない。ヘロドトスの場合もツキュディデスの場合も歴史叙述の対象はもっぱら歴史に内在する人間なのである。

英雄物語

古代イスラエルの歴史記述自体を考察する前に、それ自体では歴史記述ではないが、歴史と強く結びついている一つの伝承様式、即ち英雄物語について見てみよう。この二つを簡単に対照させることによって、歴史記述の本質と特質についてより明瞭な判断をしうるであろう。

古代イスラエルの説話（場所に関する説話、祭儀説話、語源譚、部族に関する説話等）のうちで英雄物語が最も歴史と直接に結びついていることは疑いない。これは創世記における族長物語のようにはるか昔の人々について語っているのではなく、それが述べる英雄たちは明るい歴史の光の中に立っているのである。彼らの歴史性、その活動の場所、彼らが置かれている政治的葛藤、それらは疑うことはできない。英雄物語はヨシュア記、とりわけ士師記、時には稀にではあるがサムエル記上に見出される。一例としてギデオンに関する伝承群を考察しよう。ただその際個々の分析には立ち入らない。

ギデオン伝承は全体的にかなり完結した像を示している。まず彼の召命から始まり、彼に与えられたカリスマの力が彼の秘密の活躍によって証明され、次いでミデアン人征服という大事業が詳細に述べられる。最後にギデオンが勝利をおさめたのち偶像礼拝の誘惑に屈した様子が述べられる。結局立派に事を興した男が直ちに深い罪に落ち込むという、即ちカリスマを与えられても、最後には再び歴史的には名もない暗闇の中に落ち込んでしまうという結論にこの物語は達している。しかしこの物語全体は歴史記述とは異なるものであって、種々の物語の集合体なのである。召命の部分（士師記六・一一―二四）はかつては原因譚的祭儀伝説であった。ここにはこの伝説に必要な要素が全て含まれている。神の出現、かつては世俗的であった場所での犠牲の供献、祭壇の建立、そしてこの祭壇が「今日まで」まだ存続しているという覚え書がそれである。この物語は典型的な ἱερὸς λόγος であり、その目的はなぜ聖所が建てられるようになったかを描くことによって、祭所の正当性を確かめる点にある。そのことにこの伝説の関心事が集中されている。しかし祭壇もしくは犠牲供献の描写はギデオンを解放運動へと召命することといかなる関係をもつのであろうか。ここでは古い伝説の意味が曲解され、全く新しい目的のための用いられているのが理解できる。ギデオンの像が古い祭儀伝説の中に既に定着していたのかどうかはわからない。しかしこの伝説のより古い形では啓示を受けたものの名がまだギデオンという名ではなかったことは容易に考えられる。いずれにせよ原因譚的な祭儀伝説の素材がのちになって英雄物語に変形されたのは事実であろう。最初の関心事、即ち正当化は背後に退いてしまい、ギデオンのカリスマ的指導者への召命が前面に出てきているのである。この物語はこう理解されることによって、それ自体の制約からはみ出ている。したがってこの物語はそれだけで存在していたのではない。なぜならこれはこれだけでは完結するものではなく、召命を受けたものの行為が続けられて完全なものになるからである。召命物語が現在の形においてはその次のギデオンの英雄行為に関する伝説に続けられ整理されている事実は、それが古い時代のものでないことを物語っている。この物語を英雄物語に変形したその人が厳密な意味での英雄物語（七・一―八・二一）を既にもっていたのである。このことは他の場合でも下さねばならない一つの結論、即ち召命が通常は英雄物語のうちで新しい部分であるという結論に対応するであろう。(12)

その次のオフラのバアルの祭壇を破壊した物語においても(六・二五―三二)、この聖所ではどのようにして、いつからバアル礼拝にかわってヤハウェ礼拝が行なわれるようになったかを説明しようとする一つの古い祭儀伝説が取り扱われているのである。(13) 素材史的点からいえばこの物語は語源譚的な伝説（エル・バアル―バアルよ言い争え!）が挿入されることによって縺れたものになっている。しかしギデオン伝承の核であるミデアン征服の物語（七・一―八・三）の場合には事情は全く異なっている。ギデオンは少ない軍勢で定住地に侵入してきたベドウィンの陣営を急襲し、彼らを追跡してミデアンの指導者を撃ったのである。これは典型的な英雄物語であり、それ以外のものでは決してなかったのである。この伝説の対象はギデオンとその行為である。しかしこの結論にもまた一つの制限を加えねばならない。その行為はヤハウェが導いてさせたものであり、ギデオンに与えられた霊の力によってなされたものだからである。真の主導権は人間にあるのではなく、ヤハウェにあるのであり、そのようなことができたのは人間の力によるのではなく、カリスマなのであった。ギデオンはかくしてカリスマ的指導者として行動したのである。彼はヤハウェの手のうちなる道具なのであった。不必要なものを除隊させる部分（七・二―八）が、この伝説の主題としては、最古の段階では含まれていなかったことはありうるであろう。しかしここではこの部分によってその出来事の不思議さがより強められているのである。神は大勢の軍隊を必要とせず、彼が準備した少数の人々のみで事は足りるのである。この伝説はその中心においてもその関心事を苦心して引き立てようとしている。根源においてはヤハウェのみが行動しているのである。人々は陣営を囲み、松明をふり、壺を毀わし、ラッパを吹いたが、その場を動くものは一人としてなかった。敵の全滅をもたらしたのは「神のおそれ」[14]であり、恐慌によって敵自身が壊滅したのである。このようにこの物語は頂点において、神が行動し救いの業をなされる時には、人間の協力はありえないことを具体的に示している。このことは非常に重要なことである。この伝説は英雄像を非常に同情深く描写している。それゆえ神に対する関心が強すぎて、この地上の道具を影絵としてのみ描こうとしているのだとはいいえないであろう。逆にその描写は非常に具体性に富んでいるのである。読者は緊張して出来事を追って行かねばならない。しかしその頂点になるとその行為は突然英雄の手から奪われるのである。神のみが行動し、救いは彼から来る。

後に我々は歴史記述においてはこのようなことは起こらなかったと結論しなければならないであろう。そこでは全ての人間の手の束縛から離れた真空において起こるセンセーショナルな奇跡は事件の中心においては何一つ起こらないのである。しかしこの二重性、一方ではこの地上の出来事とその遂行者に対する関心、他方神とその業に対する関心、この二重性にもう一度出会うであろう。

さてここでは歴史との関係はどうであろうか。この物語が伝説の性格をもっていることは明らかであるが、それだけに歴史的な事柄を熟知しているという印象を強くうけるのである。これが全て文学的な想像であると考えるものは誰もいない。「ギデオンがミデアン人を打ち破ったことについてはいかなる疑いも許されないのである」(15)。この伝説は詳細な点に関しては良く通じている。七章一、二二節の地名は創作されたものではないであろう。またこの戦いに参加した者の数の詳細について述べているが、それによれば召集されたのはある地方に限られていたといえる。しかしこれはこの伝説が認めたくはなかったことである。即ちこの出来事の意味を拡大しようとしたのであり、最後の段階ではギデオンが不適格者を除隊させる以前全イスラエル民族（三二、〇〇〇人）が召集されたかのように述べている。最後には語源譚的な主題を用いて（ゼエブの酒ぶね、オレブ岩）、歴史的現実から外れてしまっている。

ギデオン物語群を分析していくならば、さらに逃亡するベドウィンを東ヨルダンまで追っていったという報告に出会う（八・四―一二）。これはその前の物語に直結している。しかしこれは編集者の編集の結果なのである。事実同じ出来事について述べているのではない。敵の名前が異なっているし、その追撃の動機も異なっている（血の報復）。本質的にいってこの物語は歴史的な基盤をもつ英雄物語なのであるが、残念ながら後半の部分しか残されていない。

ギデオン物語の結末（八・二二―二八）、即ち彼が王になることを拒否し、エポデ（神々の像につける衣服に似た織布）を作った部分については素材史的には判断しがたい。後者のなかには古い原因譚的な祭儀伝説（どこからエポデがオフラにもたされたか）の残滓を見ることができるであろう。王国を拒否した部分は非常に強く神学的影響を反映しており、少なくとも現在の形では後代のものであろう。

我々の結論を総合しよう。ギデオン伝承は首尾一貫した物語ではなく、多くの性質の異なる個個の物語から出来ており、後になって一つに配列されたのである。そのいくつかは原因譚的な祭儀伝説と推定されるものであったが、ギデオンの歴史を理解するにはほとんど役には立たない。ギデオン時代の出来事にはほとんど興味をもたず、祭儀的な面に興味を示しているからである。これらは諸部族の生活における大きな公的な出来事、即ち政治的歴史とは結びついていない。しかしながら英雄物語といわれる類型の場合には事情は全く異なっている。この場合歴史的現実との関係は直接的である。物語の対象が既に歴史の光にあてられた政治的出来事であるからである。この種類の伝説は全体的な点に関しても個々の点についてもその出来事を熟知している。確かにこの「英雄物語」という名称がこの様式の真の性格を表現しているかどうか疑問の出るのは当然であろう。この伝説が栄光化しているのは、我々が見たように、必ずしも「英雄」ではないのである。ギデオンはただ道具として神に召され、カリスマ的指導者としての才能を与えられたのである。かくして栄光を与えられているのは歴史における神の不思議な業なのである。旧約全体を通してこれが英雄物語の特徴なのである。

同じように我々は士師記から他の例を選び出すことができたであろう。しかしいずれの場合にも我々が見出すのはそれ自体で完結した、かつては独立していた物語単元なのである。それらが現在より大きな連関の中の一部となっているのは、後代の編纂の結果であり、文学的な基盤で説明されねばならないのであり、より広い歴史的関連を見てもわからないのである。これらの伝説がいかに信頼しうる歴史的情報をもたらそうとも、漸次本来の伝説的なものから離れて「歴史記述」という類型に近づこうとも、我々はそれをいかなる場合にも歴史記述とは認めることはできないのである

ダビデの王位継承史

さて我々は古代イスラエルにおける歴史的記述の最古の形といわねばならない物語群に目を向けよう。即ちダビデの王位継承の歴史である。純粋に文学的事柄、特にこの物語の区画については今日ではかなり明瞭である。結論を構成しているのは明らかに「ダビデの遺言」の成就である（列王紀上二章）。その出発点についてははっきりしたことはいえないが、ロストはこれを徹底的に分析し[16]、それはサムエル記下一三章において初めて求められるのではなく、いわゆる神の箱物語の最終部分と巧みにかみ合っているというかなり確実な証明を行なっている。[17] この神の箱物語は元来は独立したそれ自体で完結した物語群であって、あの有名な御輿がシロ（ヤハウェ・アンフィクチオニーの古い聖所）から新しい首都エルサレムに移されるまでにたどった運命について叙述し

ている。この広範囲にわたる物語は本質的には祭儀伝説なのである。なぜならその意図はエルサレムもまた正式の祭所であることを示すにあったからである。したがってその中心は神の箱が厳粛にエルサレムに運ばれる様子を描く結末にある。多くの犠牲が供えられ、ラッパの響きと祭舞のうちに聖所はそのために用意された幕屋の中に納められる。このすばらしい描写でもってこの物語は終わることができたはずである。しかし注目すべきことにはダビデの私生活の情景が続いている（サムエル記下六・一六、二〇以下）。ミカルは不気嫌に王たる夫の踊りを眺め、宮殿に帰ってきた夫を非難する。ダビデはそのふるまいを弁明し、そしてミカルは死ぬまで子がなかったという句でもってこの叙述者はこの寸劇を終えている。公的な宗教的な出来事について述べる祭儀伝説にとって、特にその描写の締め括りとして、この寸劇はいかなる意味をもつのか。その点が問われたのは当然であったろう。この小さな伝記的末尾はどう理解すればよいのであろうか。ロストが示したように、これは全くとるに足らない末尾ではないのであり、むしろこの歴史記述者の出発点なのである。王妃――彼女はまず子供を産むために召されたのだが――に子供がなかったことでもって、まず消極的にではあるが、この物語のテーマの輪郭が示されている。これが出発点であって、陰欝なものを予測させるのである。この緊張は今述べた寸劇に直接結びつく章節、即ちナタン預言（サムエル記下七章）によってさらに強められる。ナタンは王に一つの託宣、即ち彼の王位と王朝は絶えることなく続くという神の約束を伝えている。(18) この出発点にあたる第二の部分は大きな希望を呼びおこすものである。この部分は王位が神によって保証され永続するという預言によってまさに奇跡の領域に入り込んでいるのである。それ以後はようやく話に調子の出てくるこの物語がこのような始まり方をしているのは非常に独特なものである。道のとざされてしまった人間の可能性(ミカルが子を産めないこと)と偉大な神の約束とは不協和音のように対立している。それが全てどのように解決されるかはいかなる読者も想像できないのである。ただその後の出来事においても神は関係をもたれるであろうということが予測しうるのみである。ところでこの物語群自体を手短に述べ、同時に二、三の点について明瞭にしておくのが良いであろう。

サムエル記下九章一—一三節　ダビデはサウル家のもので生存している者の探索をはじめる。しかし生き残っていたのは、ヨナタンの子で跛のメリバアルのみである。ダビデは彼とサウルの年老いたしもべとを宮廷に連れてこさせ、彼を王子たちといっしょに王の食卓につかせるのである。同時にダビデは家来ともどもメリバアルのしもべとなっていたサウルの忠臣ジバに保証を与える。ダビデがこのような寛大な態度を示したのは非常に政治的な配慮からである。もし彼のように王を先祖にもつ子孫がいて、ダビデにわからないでいるとしたら、容易に彼を危険にさらすことになったかもしれないのである。しかしこの方からは何の心配もいらなかった。その他この節は物語全体から見れば序幕としての意味をもっている。この二人の人物の名前が次の部分で二度出てくるからである。

サムエル記下一〇章　この章は我々を大きな政治の場面へと導く。アンモンで一人の新しい王が王位についた。ダビデの名でもって彼に挨拶を送るべく使者が遣わされるが、彼らの受けた待遇が悪かったため、両国間に戦争がおこる。まず最初の戦闘でダビデの司令官ヨアブはアンモン人とその連合軍とを撃ち破る。しかし敵方は再び集結し、増援部隊をもって立ち上がるが、全イスラエルの兵を徴集したダビデは再びこれに打ち勝つのである。アンモン人は彼らの堅固な首都に退却し、そこで相手を待つことにする。しかし戦争の話はここで突然打ち切られ、読者はエルサレムにおけるダビデ王の私生活へと連れ戻されるのである。この中断はいったいいかなる意味をもっていたのか、直ちに明らかになるであろう。

サムエル記下一一章　ヨアブがラバでアンモンを包囲している時、ダビデはエルサレムに留まっていた。ある日彼は暑い真昼がすぎるころ椅子から立ち上がった時、屋上から近所の家で一人の女が身体を洗っているのを見る。「その女は非常に美しかった」。彼女はバテシバといい、当時戦場に出ていた「ヘテびと」ウリヤの妻であった。ダビデは彼女を宮廷に来させ、彼女と姦淫を行なった。その後バテシバは家に戻る。語り手はこの出来事をもみ消そうとする王の陰謀について非常に暗い描写を繰り広げるのであるが、しかしこのたくらみは最初はウリヤの立派なふるまいにより、次いでおそらく彼がいだいた猜疑心によって失敗する。ウリヤとバテシバを共に寝させようとする試みが全て失敗に帰したのち、ダビデは計画を変更する。彼はバテシバを自分のものにしようとし、これを達成するためには、罪を犯すことを恐れない。ウリヤは偶然かのように戦場で生命を失うが、それはダビデが考え、その意を理解したヨアブの計画によったのである。そしてダビデは喪が済むとバテシバを自分の家に召し入れる。彼女はその後一人の子を産むが、「ダビデのおこなったこと」を神はよしとされなかったのである。ところでナタンがいかに王の罪を非難したか良く知られている。三つの預言の威嚇の言葉 Drohwort（サムエル記下一二・七b―一〇、一一―一二、一四）のうちおそらく最後のもののみが本来的なものであろう。即ち神はダビデの罪を許すであろう。しかしその子は死なねばならない。それに続く場面で語り手はダビデの考え方が回りの見方の権威にたよらぬものであることを印象深く描いている。その子がまだ息のある間はダビデは祈り断食し地に伏している。人はその子の死んだことを告げ知らせることができないでいる。しかし彼らの囁きからその死を知った彼は起き上がって身体を洗い、油をぬり、喪服を脱いで、食事をつくらせる。この態度は宮廷の人々の理解をこえるものである。ダビデは彼らの非難に満ちた問いに対して説明しようと試みるのである。

「子の生きている間に断食して泣いたのは、『ヤハウェがわたしを憐んで、この子を生かしてくださるかも知れない』と思ったからだ。しかし死んでしまった今、なぜ断食せねばならぬのか。再び彼を取り戻すことができるだろうか。私が彼のところへ行くことはあっても、彼が私のところに来ることはない」。

（サムエル記下一二・二二―二三）

これは死は取り消しえないものだとする表面的な諦めである。ダビデは宮廷の人々が周知しているように、必ずしもすぐには諦めぬ性質の人であった。しかし逆に彼の言葉は深い憂欝さを息づかせている。失われたものが取り返しえないことを知って、ダビデは全く客観的に死と対置せられるのである。彼はもはや嘆願のために手を上げず、全く希望を失って言葉なく人生に戻るのである。もちろんダビデにとって子供の不慮の死は同時にまた彼の罪を許すための担保であった点を考慮しなければならない。(19) この家庭内の幕間劇ののち、語り手は再びアンモン人との戦争場面へと我々を引き戻し、この戦いの最後の段階その首都占領について叙述するのである。

ここで我々は暫くの間休憩しなければならない。バテシバ物語は昔から解釈者にとっては不思議な箇所であった。その描写は非常に卓越した技術をもっており、全ての点において叙述者は快い節度と潔白さとを失っていない。彼は「取り扱いのむずかしい問題を威厳をもって片付けている」。[20] ダビデの姦淫の物語はアンモン戦争の物語と分かちがたく結びついている。このアンモン戦争の報告（サムエル記下一〇・六―一一・一、一二・二六―三一）は、最近ロストがさらに証左したようにこの歴史家の筆になるものではなく、王の記録の中の戦闘報告を合併して全体の一部として叙述したものなのである。[21] それがダビデ物語と結びつけられるために、二つの部分に分断されることとなったのであり、その間にバテシバ物語が入れられたのである。したがってバテシバ物語はそれ自体では決して現在の枠を離れて存在したことはなかったのである。それゆえ主題としてはこの物語は非常に重要である。事実この中で王位継承者の母、王位継承者その人が物語の関係上語られているからである。これを読むものはみなバテシバがソロモンの母であることを知っていたのである。しかしヤハウェが愛した（一二・二四）といわれる二番目の息子が父の王位につくまでにはどのような混乱と葛藤があったことか！

おそらく主題的な関連なしに一三章から一連の事件が始まる。それは最も複雑な政治的紛争にまで休みなく続くのであるが、この公的な生活を深く揺り動かす動因は全く私的なこと、つまり王子アムノンとその異母妹タマルとの恋から出てきたのである。アムノンは恋のことで非常に悲しみ、その結果彼の家来たちの注目するところとなる。そこで宮廷において碌なことにしか首をつっこまない一人の男が彼に、病気を装い、彼女から食事をもらうようにしなさい、そうすればそれ以上のことは自から道がひらかれてくるでしょう、という計略を与える。アムノンはこれに従い事を成就する。タマルが恋人にその本分を思い出させる言葉は無意識ではあるが誇りに満ちた美しい言葉である。

「兄上、いけません。そのようなことはイスラエルでは行なわれません」。

しかしアムノンは本能の虜になってしまい、タマルを凌辱する。「それからアムノンは非常に深くタマルを憎むようになった。彼女を憎む憎しみは、彼女を恋した恋よりも大きかった」。辱しめられたタマルは兄アブサロムの家に引きこもるが、アブサロムはこの事件を引き受けようとほのめかす。ダビデはこの事件を聞いて立腹するが、アムノンに対しては何もしない。「なぜならダビデはアムノンが長男であり、彼を愛していたからであった」。ここにおいても我々は突如として、アムノンがダビデの長男であり、したがって第一の王位継承者であったという主題を見るのである。したがってこの事件はもちろん純粋に私的な性格のものではなく、国政的な意義をもっていたのである。我々はダビデの家に集中的に起こる不幸をより強く緊張しつつ追ってゆくのである。

二年が過ぎ去った。その間彼は少しも素振りには表わさない。我々はここに彼の特徴、彼の冷たい計算を見るのである。彼は田舎で羊の毛刈りの祝いを催す。人々が酒に酔いしれている時、兄弟アムノンを撃たせるのである。アブサロムの名誉心にとってタマルの汚辱は王位継承者を除外する良い口実であった。アブサロムは皇太子となることができるからである。アブサロムが王子たちを全て殺したという間違ったうわさが宮廷に伝えられる様子が巧みに描かれている。事実はそれ位悪いものだったのである。しかし今度の場合もダビデはその家で権威を十分示すことができないのである。彼はゲシュルに逃がれたアブサロムに対して何もしようとはしない。このように事件の決着がつかないままに三年の年月が過ぎるが、やがて時間が解決することとなる。王はアブサロムに対して寛大に思うようになる。ヨアブはこの瞬間を事をあげる格好の時期と考える。彼は法律事件に見せかけて、一人の「賢い女」をテコアから王のもとに送って言わせる。彼女には二人の息子がありましたが、一人がもう一人を打ち殺してしまったのです。全家族のものたちは彼を殺そうと要求しております。もしそうすれば家系では男のものがなくなってしまいます。ダビデは言う。血の復讐の律法はそのような特別の場合には中止すべきである。しかし彼はそれと同時にアブサロムについても一つの判決を述べているのである。この訴訟者の幕間劇(一四・一―二四)はまた心理的にもすぐれた作品である。特にその結論部はすばらしい。王は彼の前に演ぜられた喜劇を見透すが、それは全ての術策の成行きがもはやどうなることもできない時になってからのことなのである。彼女の仮面が引き裂かれてもこのしゃべり女の話を止めさせることすらできないで、厚かましくもお世辞を述べさせる機会を彼女に与えることになってしまうのである。「あなたは本当に神の天使のように賢くあられます」。この句は女のおしゃべりと執拗さ、王の気長さとを巧みに表現している。(22) ヨアブはダビデが子供たちに弱いことに賭けていると同時に王の首長たることを正しく評価している。アブサロムはエルサレムに帰ることを許されるが、二年間は王に面会する機会が与えられない。このあいまいな立場に決着をつけるのはアブサロム自身である。彼は当然ダビデ王のとった処置が中途半端であると考え、過激な方法にうったえる。そこで彼は宮廷に呼ばれ、王に忠誠を誓い、王は彼に接吻をする。読者はこれでほっと息をつくのである。さて七年間がやっと過ぎ去って、悪い事件が終わったかのように見える。しかし致命的な矛盾の葛藤が作られるのはこの瞬間であった。

アブサロムは全く人が変わって家に帰る。彼は野心的な計画をもっており、まず大衆の注目を引き、それによって民衆の間に人気を得ることによってこれを遂行しようとするのである。四年の間彼は世論に働きかける。彼はヘブロンに徒党を集め反乱を起こすのである。彼は祈願の犠牲を献げるという口実でヘブロンに行くという許可を得ていた。クーデターについてダビデは全く何も知らず、その直前になって知らされるのである。敵を迎えうつには彼の立場はエルサレムでは不都合である。明らかにこの首都には真に信頼しうる者の数は非常に少ないからである。彼は兵力を集める時間をかせぐべく、彼を真に愛する者たちと共に急拠撤退する。この首都撤退の叙述は王のいろいろの重要な会戦とともにこの語り手の光彩をいろどるものの一つである（サムエル記下一五・一三以下）。ここにある種々の会話は全く新しい状況をあらゆる側から描くための卓越した手法である。「その巧妙さでもって語り手はダビデの立場とその人格とを多くの表面に反映しているものから説明している」[23]。この撤退する王とペリシテ出身のイッタイとの最初の出会いは効果的な対照を際立たせている。この外国人の忠誠は息子の反逆の暗い光とは対照的に美しく慰めに満ちたものである。六〇〇人の兵力増加は当然ダビデの望んでいた兵力増強を意味している。王は少しばかり退去したところで、その民を進んで行かせる一方、神の箱をもった祭司たちに出会う。しかし王は今度の場合はそれを自己のそばに置こうとはしない。おそらく彼は「聖戦」の場合にのみ担い出されるのが常であったこの箱をこの内政的な対立には利用したくなかったのであろう。しかしこの宗教的熟慮と政治的それとは結びついているのである。箱をエルサレムに置いておくことによって必要な場合には利用しうる一つの立場をもつことができる。王の出兵はいずれにせよ戦争とはちがうのであり、異例の祈禱行列、懺悔の行進として描かれている[24]。

「ダビデはオリブ山の坂道を登ったが、登る時に泣き、その頭をおおい、裸足で行った。彼と共にいるものもみな頭をおおって登り、泣きながら登った。時に『アヒトペルがアブサロムと共謀した者のうちにいる』とダビデに告げる者があったので、ダビデは言った『ヤハウェよ、どうかアヒトペルの計略を愚かなものにして下さい』」。（三〇—三一節）

信頼すべき参謀が反逆者に加わったことはダビデにとっては大打撃である。[25] 彼の権威もその有名な名助言も、たとえダビデには役立ったとしても、アブサロムの軽率さを押えることはできなかった。しかしダビデはもはやこの不利な変化に当惑してばかりはいられない。一つの新しい出会いによって政治家としての熟慮を働かせなければならないからである。

「ダビデが山の頂にある神を礼拝する場所に来た時、見よアルキ人ホシャイはその上着を裂き頭に土をかむり、来てダビデを迎えた」。（三二節）

ダビデは彼に全く心服しているホシャイを自分のもとには置かず、スパイとしてアブサロムのいるエルサレムに返させ、適当な方法でアヒトペルに働きかけるよう委せる。この小さな場面には後になってもう一度述べなければならない。さらに行軍を進めていくと王はジバに出会う。彼は十分な情報をもってダビデに取り入ろうとする。彼の主人のヨナタンの息子で跛のメリバアルがイスラエルの王位を望んでアブサロムに味方していると告げて、メリバアルの全領土に封ぜられるのである。さてそこで描写される出会いの最後はダビデにとって最も屈辱的なものである。サウル家の一族のベニヤミン人であるシメイはダビデの軍隊のあとを追って絶えず激しい呪いをあびせる。ダビデの流したサウルの家の血が報われる時が今や来た。ダビデは部下に抵抗することを許さない。彼はこの誹謗を神によって命ぜられた恭順として耐えようとするのである。ついに軍隊は疲れ果ててヨルダンに着き、そこでようやく休息することができる。

語り手はエルサレムにおける出来事について詳しく述べるために、この休止を利用している。アブサロムはエルサレムから領地を掌握し、下臣と次の処置について協議する。ここで我々は再びホシャイに出会う。彼はアブサロムに巧みに取り入ることを了承した人物である。まずアブサロムはアヒトペルの提案に従って、彼の父の妾の所に入るが、それは民がアブサロムに対して信頼をもつための示威的な行為である。この点からアブサロムが決して和解を考えているのではなく、父との決裂を決定的にしようとしたことは明らかである。[26] その次に軍事会議が続くが、そこではアヒトペルとホシャイの提案とが激しく対立する。この二つの演説は巧みに調子が合わせられている。これは古代人が高い修辞的素養を備え、好んでこれを用いた例である。アヒトペルは王がまだ疲れ、兵力の整わないうちに撃てという。彼の考えはできるだけ血を流すことなく事件を解決するというのであり、大きな兵力を費やすことなく民をアブサロムになびかせようとするのである。それは花嫁をその夫の地に帰らせようという言葉の中に表現されている。語り手は特に入念にホシャイの演説を取り扱う。これはアヒトペルに対する反論（一七・八―一〇節）と彼の対案（一一―一三節）の二つの部分から成り立っている。重要なことは真実と虚偽とが混ざり合っている点である。聴衆の眼にはホシャイの方が有利に見える。彼は自分がダビデに最後に出会った者であることを利用するのである。彼はもちろん冷静なアヒトペルよりも誇張しているし、しかも彼が最後に提案していることは現実の状況では考えられないものである。彼によればダビデは「その子をうばわれた熊のように」「勇気に満ちて」おり、戦闘の最初から彼の有利になるようなことをしてはならない。まず「ダンからベエルシェバまで」の全ての軍隊を召集して戦いに臨めば、「露が地におりるように」彼の上に下るであろう。もし彼がいずれかの町に退却するならば、「その町になわをかけ、谷間に引き倒して、そこに一つの小石も見られないようにするでしょう」。この大言壮語はアブサロムの下臣たちを感動させたのである。彼らはホシャイの計画を聞き入れ、アヒトペルのそれを却下する。ホシャイはしかしこの計略を祭司を通してダビデに報告させる。一方アブサロムのことはもう救いようがないと悟ったアヒトペルはくびれて死んでしまうのである。

サムエル記下一七章二四節以下　その間ホシャイがやりくりして作った猶予期間を巧みに利用し

ていたダビデは東ヨルダンに退却し、そこで新たな兵力を供給し、軍隊を三軍団に分けることができたのである。ヨアブは戦闘が避けられないと見て、王が戦いに出ないようにする。彼が子を愛するあまり、国家を危険にさらさないようにするためである。しかし王は三人の司令官に皇太子を寛大に取り扱うように厳しく命ずる。さて戦闘が始まるが、反逆者にとっては不案内な地であり決定的な敗北を喫する。アブサロムは馬に乗って逃亡する途中不幸にも木の枝につっかかってしまい、抵抗するすべもなくヨアブに撃ちとられてしまう。そこでダビデの部下たちは追撃を止める。戦争は終わったのである。さて全てのものの目はダビデ王に向けられる。彼はこのおそろしい報告をどう受け取るだろうか。語り手はまず若い何事もおそれないアヒマアズを登場させ、王に勝利の知らせをもたらそうと熱望する様子を詳細に描いて緊張をもり上げる。しかしヨアブは王の性格を良く知っていて、この報告が危険なしとはいえないので、クシ人に命じて行かせるのである。ここで場所は王の司令部マハナイムに移る。物語のテムポはゆっくりと進められる。見張人は使者（アヒマアズは秘かに出発していた）がやって来るのを見つけ、吉報であると推測する。王は不安げに市門の傍で待っている。息をきって二人が同じころ到着して勝利を告げるが、ダビデはただアブサロムのことのみを問うだけであり、そしておそろしい結果を聞くのである。

「王は非常に悲しみ、門の上の部屋に入って泣いた。彼は行きながら叫んだ、わが子アブサ

ロム、わが子、わが子アブサロム、わたしが代わって死ねばよかったのに、アブサロム、わが子、わが子」。（一九・一）

ダビデは全く狼狽して悲しむ。兵士たちもまた狼狽して「戦いから逃げて恥じている兵士が秘かに」町に入るように町に入ったのである。漸くヨアブが激しい言葉でダビデ王に民の前に出るように働きかける。反逆者たちが敗れ去ったのちにも取り除くべき緊張はまだ多く残っている。いちはやく北イスラエルの迷夢が打ち破られる。ユダヤでは事情はさらに困難である。そこでは王の帰還が始められる前にある程度の圧力と王の寛大な態度が必要とされたのである。王の帰還の報告（サムエル記下一九・一六以下）を語り手は巧みに屈辱的な脱出の描写（一五・一三以下）と対照させている。ある場合にはあの時と同じ人物にダビデは出会うのであるが、今度は立場が異なっており、その悲しみによって試練をうけた王の立派な態度は光り輝いている。まず最初はシメイである。ダビデは彼を許し、彼の部下たちが激昂して復讐を企てないようにする。次いでメリボセテが出会うが、彼はこの前は（一六・三参照）家臣のジバに欺かれたと誓っていう。王はそのことについては究明せず、ジバと領地を二分するよう指示する。特に美しいのは八十歳にもなったバルジライとの出会いの場面である。彼は王と共にヨルダンを渡ろうとする。バルジライはダビデが苦難にあった時に護ったのである（一七・二七参照）。ダビデはその感謝として宮廷にともなおうとするが、老人は移ろうとはしない。宮廷での生活にももはや感動することもないだろうし、先祖たちの墓の近くで生涯を終えるために、その余生を故郷で過ごしたいと願う。ただ彼の子を連れて行くように王に依頼し、王に別れを告げ、故郷に帰ってゆく。

エルサレムへの軍隊の帰還は全体的に見ればおおよそ晴れ晴れとしたものではなかった。北と南との不和、深い対立について述べられているが、それはアブサロムが最初に作り出したものではなく、ダビデ王国の組織の中にあるものであり、アブサロムが自己の計画を実現するために巧みに計算に入れたものである[22]。王の外的な勝利によってはこの緊張は取り除くことができなかったから、ダビデがエルサレムに帰還する前に反乱が今一度燃え上がるのである。今度もサウルと同じ部族出身の一ベニヤミン人が古代イスラエル王国を復活しようとする。ユダとエルサレムにあるダビデの王位とは民族主義的なイスラエル人にとっては疑わしい価値しかない革新であった。このシバの呼びかけはこのような曖昧な状況では多くのイスラエル人の間に反響を呼んだと思われる。しかしこの反乱も直ちに互解してしまう。シバの家臣たちは最北端のアベルに退却するが、ダビデの軍隊は追撃し、巧みな仲裁ののち、指導者の首が、町の破壊はしないという条件で、攻囲軍に手渡されるのである。ヨアブはその軍隊と共にエルサレムに引き返す。

ここで歴史家によって報告されている一連の出来事には明らかに一つの深い切れ目が見られる。しかし物語が全て終わったのではない。全体の主題は「アブサロムの反逆」であったのではなく、ヤハウェによって保証されたダビデの王位の継承者の問題であり、この問いはまだ答えられていない。この物語の直接の続きは列王紀上一章である。それまで地下の震動のようにダビデの統治時代につきまとっていた王位継承問題はここで明るみに出され、はっきりと表面に出てくる。ロストは正当にもこの章をまさに全体を理解するための鍵としている。(28) ダビデは年老いた。シュナム人のアビシャクが王のもとに連れてこられるが、彼はもう子をもうけることはなかった。この小さな情景は、ダビデの死後誰が王位につくのか、今いるダビデの息子たちのうちから誰が選ばれるのかという点に我々の注意を促すのである。彼らのうち、最年長者はアドニヤであって、ヨアブと祭司エビアタルとは彼の味方である。彼の対抗者はソロモンであって、彼もまた有力な部下、祭司ザドク、預言者ナタン、バテシバ、王の親衛隊たちがついている。この二人の抗争はアドニヤがその部下たちを招いた饗宴に始まる。その時既にソロモンを正当な継承者とする布告が計画されていたかどうかは明瞭ではない。反対派はいずれにせよ事の決着を促そうとして、アドニヤにその意図ありと誣告する。ナタンはバテシバを伴ってダビデのもとに赴き、ソロモンを王位継承者にしようというかつての約束をほのめかすのである。年老いて身体の弱っている王は事実この派の道具となり、アドニヤに先んじてソロモンに油注ぐよう命令する。彼らは目的を達成し、豪華に油注ぎの儀が直ちに祝われるのである。この祝いの騒ぎがアドニヤの宴場にも聞こえ、たちまちに客人たちは四散する。瞬間危険を感じたアドニヤは祭壇の角をつかむのである。しかしソロモンは彼に仮の恩赦を与える。

「ダビデの遺言」（列王紀上二・一以下）は、確かに現在の形では編集者の手が加えられている。しかしそうだからといって、これ全体が一つの挿入だと考えるのは誤れる判断であった。史的信憑性の問題は文学的問題と混同されてはならない。この歴史著作全てにおいてダビデをこえてソロモンが目的とされている。この著者はソロモンと同じ時代の人々に書いたのであり、それゆえ、ソロモンは父の遺言を遂行したのであるから、その統治の最初に行なった処分の責任は王にはないとする彼の意図を理解しうるであろう。ヨアブとシメイは報復を免れることはできないが、バルジライの息子たちには恵みを施さねばならない。「そしてダビデはその先祖たちと共に眠り、ダビデの町に葬むられた」。ソロモンはその王座につく。それによってイスラエルには新しいことが開始したのであるが、それを叙述するのはこの歴史家の課題ではなかったのである。しかし王位抗争に登場した人物の運命についてだけは話を続けている。ソロモンに先をこされたアドニヤはアビシャグを妻にもとめる。これは微妙な要求であった。というのは王のハーレムを望むことは当時では王位を望むことと非常に似ていると思われたからである（サムエル記下一六・二一以下参照）。いずれにせよソロモンは事情を察し、アドニヤを直ちに密かに殺害させる。ダビデに服従していた祭司エビヤタルも疎外され、アナトテに追放される。ヨアブも逃がれていった聖所で殺害され、シメイもある機会に片付けられる。ダビデ時代およびその時の問題点とつながりのある問題を処置することによって「ソロモン王国は内部に向かっては安定し、王位継承問題は解決し、したがって物語は終わるのである」(29)。

この歴史著作の解釈

今まで述べてきた概略では、この偉大な物語作品のもつ輝きがそこなわれてしまったにちがいない。それだけにさらに詳しくこの歴史記述の様式、形式、技法、とりわけ舞台のような構成を取り扱うべきであったかもしれない。その構成はまさに巨匠のようであって、読者は万華鏡のように種々の場面に誘い込まれる。即ち不安緊張の続く状況に入るかと思えば、そこから快適な静けさの中、あるいは内々裡に交わされる会話の秘密の中へと導かれていくのである。しかし読者はいつも立派に描き出された一つ一つの情景に心を奪われるとしても、大きな相関関係即ち主題の一貫した筆致を決して見失うことはないであろう。「しかし特に注目しなければならないのは、色彩豊かな細密画という技法によってこの舞台上に我々の前に生き生きと現われてくる登場人物たちの多様性である。古譚と異なって複雑な精神状態を描写する能力は特に著しい(30)」。事件の中心にはもちろん複雑な人物のダビデが立っている。彼の本質の中にはきびしく矛盾対立するものが含まれている。政治家としては視野が広いが、人間としては多くの激情に揺り動かされて罪を犯すほどであり、しかし常に寛大さをもっていて、不幸の中にあっても真の威厳を失わなかったのである。しかし彼の人格からは人間を凌駕する力を与えていた圧倒的な魅力がなくなってしまったにちがいない。年老いるにしたがいダビデの輝きは民衆の目には色褪せたものとして映り、彼の息子たちに好意と人気が移ってゆく様子を自分自身体験しなければならなかった。王はこれらの息子たちに――語り手はこのことから結果する矛盾のゆえにこの点を強調しているのだが――まさに盲目的な愛を示したのである。これが彼の一つの弱点であって、王位と王国をその大きな罪のために深淵の端に立たしめたのである。

この主人公をとり巻いて多くの人々たちが集まっている。それぞれ特色ある横顔をもち、癖のないとはいえない人々、即ち王子の、アムノン、アブサロム、アドニヤ、隊長のヨアブ、アマジア、大臣アヒトペル、民間人ジバ、バルジライ、反逆者シメイ、シバ、最後に王女タマル、王妃バテシバ、テコア出身の三番目の妃である。しかもこの第一幕で重要な役を演ずる人物は全て、知らないうちに消え去っていつか舞台から退場するのではなくして、観衆たちは彼らが死ぬまで彼らを注目し続けるのである（ダビデ、アムノン、アブサロム、アドニヤ、ヨアブ、アマジア、シメイ、アヒトペル）。

この最後の結論によって我々は再びこの物語全体の範囲の問題を問わねばならないのである。語り手がこのような多くの人物を彼らが死ぬまで長時間にわたって追求しているということは、それ自体既にこれが一つの大きな一貫した物語であることを前もって予測していることを意味する。昔の注釈者たちはこの部分を多くの「Novellen」が続けられて出来上がっていると解そうとしたのであるが、ロストはこの仮定によってはこの素材が広範囲にわたっている点が正しく評価されないことを的確に証明したのである。一例として最も良く好まれている場面「アブサロムの反逆の Novelle」を取り上げてみるがよい。満足に区切りをつけることが出来ないことが、詳しく調べてみるならばわかるであろう（サムエル記下一三―二〇章）。筆は前にも後にも続いており、この部分がより大きな関連の中に置かれていると仮定せざるをえない。語り手が自己のもっている素材を包括的に見るために個々の情景に分類し、著しい段落をつけたことは、必ずしも素材を個個の Novellen に分断することにはならない。この語り手は素材を分類したり、休止符を付ける点で巨匠であったのである。それによって事件の進行が緩められたり、緊張がとけたりして、読者は息をつくことができるのである。しかしこの休止符は決して個々の独立したNovelleの決定的な終止符ではないのである。多くの事件を包括するこの大きな物語構成はいうならばまさにイスラエル文学史では新しいことであった。今一度ギデオン伝承を振り返ってみよう。これもまた広範囲にわたるものであったが、文学的統一性に欠けていた。個々の伝承から成り立っているが、それぞれが作り出す緊張関係は常にその個々の伝承の結末において解決されるのであって、その意味では孤立したものであった。それは物語単元が完結している最も確実なしるしなのである。さてこのような多くの古譚伝承をまとめたり、必要な内的関係を後から付け加えたりして初めて全体を覆うような関連性が出来たのである。しかしダビデ王位継承史の場合は全く事情が異なっている。ダビデがメリバアルとジバを宮廷に召したという物語（サムエル記下九章）をかつて独立して存在していた一単元としては誰も理解しえないのである。逆にこの物語の意味は最初は読者にはかなり理解しがたいのであって、後になって、即ちジバとメリバアルがあの反逆の間に不透明な役割を果たす段になって初めてその意味を理解するのである（サムエル記下一六・一－四、一九・二五－三一）。どれを例にとって見てもよい。ちょっと見れば非常にまとまった物語区分も決して独立した単元ではないのである。なぜならどの区分の一つもそれだけでは段落がついてはいないならである。そこで問われている問題は個々の部分を超越しており、物語は切れ目なく、その偉大な結末に向かって進んでゆくのである。さてこの形式に関する差異は、我々がここで取り扱う全く異なる内容の結果なのである。我々が述べてきた素材は古譚伝承といえるであろうか。その素材もその内的な複雑さも古譚伝承のもつ可能性からはるかにはみ出しているのである。古譚らしきもののしるしさえここには欠けているという点を別にしてもである。我々は唯これらの章には歴史記述、しかもその記述の旧約における最も古い形が含まれているとのみいうことができるのである。これらの物語に諸民族の文学の中でもほとんど与えられない高い評価が与えられている点をさらに詳しく見てゆこう。

「真のその時代を忠実に表現している歴史記述というものは、どのような形をとるにしろ常に政治的な生活から萌芽する」[31]。この言葉は今問題としている歴史記述にあてはまる。自分で歴史を作る国家のみが歴史を録することができる。サウルの小王国では、権力政治的な点に関しても、文化的な点に関しても、まだその前提はなかった。なぜなら歴史叙述は人間の文化的な活動の最も進展した場合にえられるものであるからである。それが成長し実を結ぶためには広い国家的基盤と政治的な雰囲気を必要とするのである。サウルの小王国はまだ宗教的部族連合と現実的な国家との間に立っていたのであり、いかなる点に関しても歴史記述を生み出す十分な母胎をもっていなかったのである。しかしダビデ王国は南北統一後、外交的には多くの戦争で勝利を収め、強力に拡張していった国家であったが、内政的にはなお多くの問題をかかえていた。これが歴史記述の発生しえた前提なのであった。しかしこれはもちろん前提以上のものではない。なぜならそれが現実にその時になって発生したという事実は、それでもなお説明されていないし、究極においても説明しえないものであるからである。それは突然存在するようになったのであり、しかしこれ以上の進展は考えられない程成熟した技術的に完成した状態で出現したのである。

この歴史著作はダビデ時代の外交的、内政的葛藤の全てを論ずることをもって課題としたのではない。その叙述の対象はむしろ唯一の問題であった。しかもそれはこの時代の最も深い最も興味ある問題でもあったのである。イスラエル王国の原型であった王国の形態はカリスマ的な王国であった。神の指名と膏油によってカリスマがサウルの上に下ったのであり、それによって勝利を得ることができたのである。このような神の選びが証明されると次いで民の側からの賛成の確認、同意がなされた。(32)「士師」の物語が明瞭に示すカリスマ的な指導者制の最古の職制がこのようにして継承されているのは明らかであろう。ダビデ王国もなお伝承によればサウルのそれと全く同じであり、「国家的には軍事国家であるが、結局はヤハウェの任命によりつつ、戦争の際には先頭に立って、それが確かなことが証明され、民の賛同によって完成されるものとして性格づけられている」[33]。しかしダビデとともに一大変化がおこったのである。即ちカリスマ的な王国設立から世襲制王朝への移行である。それが我々の歴史記述がその最初に報告したところのもの、つまりダビデの家と王位は永続するという神の保証を示したナタン預言の意味であった(サムエル記下七章)。こうして初めてダビデ王位継承問題がいかなる現実性をもっていたかを正しく理解するのである。いわゆる制度史的には全く新しい性質の王朝制が初めて実行されるようになったという問題である。それがダビデ王国の新しい国家法的な機構によって要求されたものであったとしても、それが王子間に対抗闘争の道を開く一つの危険な亀裂をかくしていたことは疑いない。長子という考え方は明らかに絶対的なものではなかったからである[34]。

さてこの歴史家の主題はこうである。誰がいったいこの変革した制度のもとでダビデの王位を手に入れるだろうか。もちろんこの作者はその遠慮深い性格からしてこの主題を最初から予定通りには話題に上らせずに、ゆっくりと素材自身から浮かび上がらせようとしている。そしてこの著作の最後になって、実際は最初から読者の心を奪っていたにちがいない問題がはっきりとした形で緊急の問題となって浮かび上がってくるのである。

「誰がわれわれの王の座に座し、彼のあとを支配するであろうか」。(列王紀上一・二〇、二七)

この問いが終幕の結尾において表現されているのはもちろん文学的な技法であるにちがいない。なぜならここに描かれた出来事、葛藤劇そのものから自然と読者の前に浮かび上がってくるのでなかったとしたら、いかなる計算づくの定式によってもこの問題をこう鮮かに印象づけることはできなかったであろうからである。そして語り手がこの技法の効果について熟知していた点については既に見た通りである。彼は王妃に子がないことから始める。長男のアムノンを排除してアブサロムが話題の中心となる。彼が宮廷に戻ってダビデと和解した後、彼が王冠をえるものと思われていたが、彼の野心的な計画が挫折し、そして王位継承問題はそれまでよりも読者にさし迫ってくるのである。そこでソロモンが登場するが、彼がバテシバの子である点は既に述べられていたのだが、事件の進展上では視界からは消え去ってしまっていたのである。彼は決して正当な王位継承者ではなく、年上の義兄アドニヤがそうであった。しかしソロモンは王位継承者となるという確証を、年老いた王から詐取する陰謀によって、それに成功するのである。結局はかくしてソロモンがダビデの死後王座に上る。アドニヤは敗れ去るのである。

これらの出来事を描いた歴史家について我々は何も知ってはいない。[35] 彼は宮廷での関係や出来事を正確に知っていた人であったに違いない。彼の描写はいきいきとしており、彼の叙述の信頼度を疑うことはできない。その透徹した人間理解はこの著者の特徴である。特に印象的なのは彼のダビデに対する見方である。この王の人間像は常に暖かい同情と尊敬をもって描かれているが、著者は全く公平無私に判断の自由を保っているのである。王の犯した罪とか失敗を彼は決して言い繕おうとはしない。オリエントに独特な「英雄的真実性」(36)でもって暗いもの憎むべきものを述べる場合にも、拍手喝采を得ようなどとは思わないで、常に貞淑であり高尚なのである。そこで我々は次に重要な問題、この歴史叙述の神学的—世界観的な態度について問わねばならない。

そこでまず読者にとって最も奇妙に思われる点は、否定的なことがら、即ちこの著者がもつ大きな抑制力である。後代の申命記的歴史叙述の場合、王を読者に紹介する前に、明確な判断を下してしまう。このような判断はここの場合には何ら見出すことはできない。逆にこの語り手は配慮をもって故意に素材の背後に引き退ってしまうのである。彼はダビデをほめはしない。アブサロムを非難しはしない。即ち出来事が進行するのみである。しかしそれが全く予想のつかない不慮の出来事の連続ばかりではないことに読者は直ちに気づくのである。アブサロムの運命とダビデの運命とは全うされている。それゆえたとえ間接的なものであっても、この歴史家の事件に対するある一定の態度が認められる。運命はこの言葉のもつ十全の意味において、故意に非人格的にではなく、つねに大きな罪に対する贖いとして実現されるものなのである。読者に迫ってくるのは罪と苦悩の緊張した結びつきである。人を欺く誘惑、野心や名誉欲の欺瞞成功とかが人々を罪の中に落とし込んでしまう。アムノンの場合も、アブサロム、アドニヤ、アヒトペル、シバ、いずれの場合も常に同じことがいえる。そしてとりわけこれらの人々の過ちにもまして王自身の罪がきわだっている。彼の放漫さ、特に息子たちに対する非難されてもいたしかたのない弱さが「全体の歴史を動かす要素として[37]」存在しているのである。この点に関してナタンとの出会いは典型的な場面である。預言者はウリヤに対して犯した罪の罰として、王が秘かに行なったと同様のことが王に対しても公然と「全イスラエルの前で太陽の前で」(サムエル記下一二・一一)なされるであろうことを預言する。その数章後においてアブサロムが全イスラエルの目前で王の妾たちの所に入ったことが記されている(サムエル記下一六・二二)。ここには全ての歴史を隠れて貫く応報思想が預言者の力強い言葉の中に明らかにされている。歴史においてしばしば秘密の中に働く jus talionis は姦夫に対する歴史の主の人格的な業として預言される。まさしくある意味においてダビデの歴史全体はこの一つの過失に対する審きの歴史として理解することができよう。「アムノンによるタマルの辱しめにおいて父の放逸さがくり返され、それがアブサロムの殺人罪へとつながり、そこで錯誤と混乱の鎖が全て断ち切られて、最後にバテシバとその子ソロモンが最終の利益者として勝利を収めることになるのである[38]」。

さてここで問わねばならないのは、我々の著者の歴史神学が、歴史の中に実際存在すると考えた応報思想一つでつきているかどうかである。もしそうだとしても、この基本的な概念が神学的なものであるとはいいがたい。というのはこの応報が人間に対する神の業であるという考え方は前面には出てこないからである。一般歴史家としてこのテキストのもつ意義を最初に認めたE・マイヤーも事実この歴史叙述を純粋に世俗的なものとしているのである。「宗教的色彩、超自然的なものの介入という考え方はほとんどなく、世界の進行と、出来事のつながりの中に自己の罪を通して現われる応報とは、現われた通りに客観的に描かれているのである」[39]。

このことはいずれにせよ正しいのである。応報思想は全体的に見るならば匿名的に歴史内に潜んでいるのであって、それゆえこの著作を神学的な歴史著作とすることはできない。むしろ罪とか運命に関する多くの古代人の悲観的な考え方を想起させるのである。「人間の本質に潜む暗い力が彼を撃ち、引き戻し、罪と悩みの罠に陥れ、それから逃がれ出ることはできないのである」[40]。この歴史家も ὁρμαί、即ち内的衝動と苦悩とが全ての人間の歴史的活動の基盤であるというツキュディデスの意見に賛成するのであろう。しかし歴史の究極において働く力に対する彼の態度について我々はまだ説明をしていない。しかし彼がこの点に関してツキュディデスの「氷のように冷たい懐疑」をもっていないことは明らかにされるであろう[41]。

我々は著者がこの著作において神について語っている点を探究していかねばならない。しかし我々は、劇的な状況でも主要人物のみを借りて語られる、多かれ少なかれ修辞的な神の呼びかけのことを考えているのではない。それらの中に著者の真の確信を見つけうるとは思えないからである。むしろ歴史著作の中で著者がある一種の積極的な神学的判断という形で、神およびそこに描かれた出来事と神との関係について表明している箇所があるかを問わねばならない。事実三箇所をあげることができる。サムエル記下一一章二七節、一二章二四節、一七章一四節である。この歴史著作の範囲を考えるならば、この語り手が沈黙を破って独自の判断を述べ神学的立場を表明している箇所は数少ないといわねばならない。しかしそれゆえ当然これらは非常に重要なものであり、この著作全体においてこれらのもっている意義を無視してはならないであろう。

様式的な点からいえば、この三箇所は全く同種のものである。しかもそれぞれの神学的な判断は非常に簡潔なものである。しかしさらに注目すべきは、これらが他の文脈から見ると唐突な感じを与え、結びつかない点である。「しかしダビデのしたことをヤハウェは喜ばれなかった」「そして彼女は一人の男の子を産んだ、彼はその名をソロモンと名付けた、しかしヤハウェは彼を愛された」。これらの句はいずれの場合も文脈から全く孤立している。なぜなら語り手は他の全てのことによって読者の心を奪ったのであって、人間に対する神の判断によってではなかったからである。彼は心ならずも完全に歴史内在的な事柄についての報告を中断し、絶対に必要なもののみに限って彼の態度を表明し、これらを手短に暗示したのち、さらに集中力を倍加させて再び歴史的出来事の進行に目を向けていったかのような印象を強くうけるのである。しかしこれらの箇所が、この歴史家の特異な手法という理由で、無意味なものと考えることはできない。逆に明らかに非常に歴史内在的な主題の内部にあって、それらが孤立し、目立たない存在であるということによって、それらは、全著作をあまりにも単純に理解しすぎないための信号なのである。

ダビデの姦淫物語の結尾にある備考の意義は明らかである。語り手は読者に何もいわずに先に進むことはできなかったのである。恐るべきことが起こったのであるが、その影響は目下のところまだわからない。もちろん歴史家にとって、この罪がダビデに宿命的な影響を与えるであろうことを指摘するのが目的ではなく、むしろ読者をして次いでおこる出来事の進展とダビデに対する神の判決との関係について考えさせようとしたかったのである。一一章二七節の短い全く非激情的な部分に注目し、ダビデの家にふりかかる不幸の鎖を読み取る者が、漸次拡大していく混乱の説明をどこに求めるべきかを知るであろう。ここでは神は王の罪を罰しているのである。

同様に重要なのは神がバテシバの子を愛したという句である（一二・二四）。歴史神学的な判断としては、これは前述のものよりさらに文脈から孤立している。ここではいきなりそこに登場する人物の一人に積極的な力点が置かれている。ここに述べられていることはそれ自体全く逆説的である。というのは読者が知らされるのはその子が存在しているということのみだからである。このような関連から誰がいったいこの子の偉大な将来を預言しようとするだろうか。明らかに語り手が語ろうとしたのは、この新たに生まれ出た子ではなくもっと重要なことだったのである。しかしそこにこの子に対する神の全く非合理的な愛の言葉が語られているのである。長い物語の結末に、即ちソロモンが限りない紛糾を経て勝利を収めた時、読者は再びこの句を思い起こし、人間の功労や徳が王位を獲させるのではなく、神の逆説的な選びの業がそうさせることを理解するからである。

この著作が神による歴史支配について語っている第三の判断については我々はさらに詳しく取り扱わねばならない。この句はアブサロムの軍事会議の劇的な叙述の最後に置かれている（サムエル記下一七・一四）。これは劇が終了してから口上者が垂れ幕の前に出てくるように、ちょうど今起こったばかりの出来事を理解させるべく観衆に再度解説をするためのものである。

「ヤハウェはアブサロムに災いを下そうとして、アヒトペルの良い計りごとを破ることを定められた」。

この句はアブサロムの軍事会議以前の一連の情景、即ちダビデが危機にさらされて首都から撤退したという出来事を思い起こすことによって初めて十分に理解されるであろう。特に王は彼の忠臣である賢明なアヒトペルも反逆に加担したという決定的な報告をここに受け取るのである。アブサロムの謀反ののちこの人の離反は王が被った最大の打撃であった。なぜならアヒトペルの計略は「人が神の御告げを伺うようなものであった」（サムエル記下一六・二三）からである。今や神のみが救うことができるのである。そのようにダビデは祈っている。「どうか、ヤハウェ、アヒトペルの計略を挫折させて下さい」。さらに事件は続いていく。ダビデが山の頂に登り、「神を礼拝する」所に来た時、ホシャイに出会う。彼は無条件に彼の意のままに動く男である。ダビデは彼をスパイとして首都に返す。そして事件は周知のように進展していく。そしてアヒトペルの計略が退けられるということによって最初の仮の結論に達するのである。

その間の状況は全て非常に巧みに配列されている。王が危難に際して唱えた祈り、これが劇的に進行する出来事の中に特別な意味をもっていると誰が考えたであろうか。このホシャイとの出会いは全読者の関心を引くものである。しかもこの会話が「神を礼拝する」所でなされたことは注目に値する。この覚え書によって語り手は遠慮深く、これが決して偶然ではなく、神の摂理が働いていることを示しているのである。(42) その他我々はダビデの撤退全てが懺悔の行進という宗教的な形式によって行なわれたことに注目しなければならない。そして事実ここにおいて激変が開始しているのである。ホシャイの老獪な計略はアブサロムを滅ぼすこととなった。我々はここで、なぜ歴史家が、アブサロムの運命が決定されたこの所で一瞬立ち止って、読者にこの出来事の神学的解釈をほどこしている理由を理解するのである。ここがこの反乱事件の転回点であり、この激変は王の自らを低くした祈りを聞かれた神によってなされたのである。

今一度この三箇所を振り返ってみよう。これはこの歴史著作全体を評価するために重要であることは明らかである。これを因習的な種類のさして意味のない覚え書と考えることはできないのである。この物語の休止符にあたるそれらの箇所は非常に意味深いものである。もちろんこれらの句によって神の歴史に対する関係についての全く一定した理解が示されている。我々はこの研究の最初に英雄物語について述べた。そこでは軍事的混乱の最中において神自身が奇跡によって地上の出来事に介入するのであり、そしてこの人間の領域内における神の業はあまりにも徹底的であって、人間の行動する余地は全く残っていなかったのである。しかしこの歴史記述の場合は何と異なっていることか。ここでは奇跡は何もおこらないし、カリスマ的指導者も出現しない。事件はその内在的な法則性に従って展開するのである。歴史家が神について語る場合もその例外ではない。著者が非常に意義深い指摘をしたところで、事件は自ら進行したのであり、地上の因果関係では中断は少しも認められないのである。しかしそれではこの歴史家はいかにして歴史における神の業を叙述したのであろうか。その点について答えるならば、彼は明らかに神の業を隠されたものとして考えていたのであり、他の出来事から超絶したセンセーショナルな出来事のみに限っていなかったのである。アヒトペルの計略が退けられるという覚え書はたしかに、その計略が表決されるとき――何か精神を昏迷させるという方法によって――神が介入したという意味に解されてはならない。軍事会議における出来事は、この歴史家の他の叙述以上にセンセーショナルな不思議なものではないのである。彼はむしろ内在的な因果関係の鎖が緊密につながり合う出来事の連続を示している。それはあまりにも緊密すぎて神ならば介入しえたであろう間隙を人間の目では、もはや少しも見出しえないほどなのである。しかも神は隠れて全てに働くのであり、全ての糸は神の手のうちにあり、神の業は非常に政治的な出来事をも、心の秘密の決断と同様包括したのである。人間の領域は全て神の摂理の活動分野なのである。この歴史家が人間の現実を全て十分に描写できたのは concursus divinus（神の協力）を理解していたからである。彼は宗教的装飾や道徳的な付加を必要とはしなかった。この著作の根底には非常に単純な信仰理解があり、それゆえそれがいかに世俗的な色彩を帯びていようとも、いかなる場合でも神学的な歴史著作と考えねばならないのである。この劇に登場するものは生身の人間であり、「宗教的人物」ではなくして苦悩と憤りでもって事件を進行させる人間なのである。しかも読者は神を隠れた主、歴史の推進者として見ることを教えられる。人間は操り人形に堕することなく、しかも神について全然言及されないというのでもない。この二点即ち生きた信仰をもつものならば感じざるをえないこの緊張関係を読者は知らねばならない。これを知らしめるのが作家的な神学的な仕事であって、その巧みさとその精神的な確信は驚くべきものである。しかしこの物語を単なる「神の導きの歴史」即ち全てを良き目的へと導いていく神の導き、神の支配する手を読者に納得せしめる物語と考えるとしても、それだけでは十分ではないであろう。それはそれ以上のことを示しているのである。この物語全体の内的な主題はダビデの王位なのである。まず最初にこの王座は永遠に続くという神の約束が告知される。次いで恐ろしい渦中にまき込まれ、最後になって漸く神によって良しとされた王位の相続者が立てられ、ダビデの王位継承問題は解決するのである。もしダビデの王座が歴史の全ての混乱によっても揺がず、神によって確保されることを述べるのがこの歴史家の関心事であったとすれば、彼の主題は神学的な点からいえばメシア的なものであった。

我々は上述のごとくこの歴史叙述の非常に世俗的な表現方法を、英雄物語の素朴な奇跡信仰と対比して明らかにしてきた。この歴史と歴史における神の業に関する観点は当時は革新的なものであったにちがいない。神の業はここでは古代の「聖戦」のように不思議な、間歇的なものとは考えられていない。それは普通の目には隠されてはいるが、もっと全体的な間断なく続くものとして理解されている。全ての生活領域において、公的な場合も私的な場合も、世俗的な事柄においても宗教的な事柄においても神は働いているのである。特に歴史における神の業の重点は突如として宗教的な祭儀的な制度（聖戦、カリスマ的指導者、神の箱等）から世俗的な面に置きかえられているのである。しかし著作の独創性、神学的な天分を高く評価するにしても、このような見方はやはりその時代の精神史的な前提を持っていたのである。あらゆる歴史叙述は「文化的な全体意識」を前提として持っているからである。[43] この歴史叙述を、それが発生した時代のソロモン時代と関連づけて理解するのは事実困難なことではない。この王の名称がつけられたこの時期において初めて、ダビデ時代に始まった新しきことが、文化的に見てあらゆる方面にわたって発展したのであった。サウル時代になってイスラエルは宗教的基盤に立つ部族連合（アンフィクチオニー）を廃止したのであるが、一般的な文化的な点については事態はまだ少しも変化しなかったのである。しかしダビデが領土的にその王国を拡大した時、事情は異なってきた。一つの信仰共同体を異教徒から隔離していた古代のヤハウェ・アンフィクチオニーの境界はもはや存在せず、広大なカナンの領域がイスラエル王国に併合されたのである。一世代前に可能であったよりもさらに広い文化的基盤の上に立った新しい生活が開始された。ソロモンについては彼が大々的に遠隔の国々と交易を行なったと述べられている。さまざまの富が国土に流入し、宮廷には豪華さと裕福な生活が入り込んできたし、大建築が開始された。このような華麗な経済生活に続いて強力な精神面での交流もなされた。この民族の歴史においてこの時代ほど精神的宗教的なものの導入に対する規制が緩かに行なわれた時代はなかった。宮廷はかつてのエジプトの宮廷のごとく国際的な知恵文学の中心であった。多くの外国人がいたことから種々の責務が生じたが、人々は喜んでそれを履行したし、イスラエル外の神々に対して聖所が建立された。一言でいえばソロモン時代は啓蒙の時代、即ち古代の族長時代の生活様式が急激に破壊された時代であった。この断絶の深さは表象しつくすことのできないほどのものなのである。古代の単純な宗教的制度の時代は決定的に過ぎ去ってしまった。聖戦という古い制度、聖所における単純な祭儀様式は祭儀伝承と共に世俗的な思考の洪水によって埋もれてしまったのである。祭儀伝承は先祖伝来の接着地点から解き放たれて文学となった。我々はこの歴史著作の中に近代的な自由な全く非祭儀的な精神のつめたい息づかいを感じとれないだろうか。しかしこの著者は決してこの言葉のもつ一般的な意味での啓蒙家ではないのである。確かにヤハウェが古代の宗教的制度を通して働いているという考え方は失われてしまった。しかし歴史におけるその業に対する信仰そのものは失われていない。むしろ逆にこの神の業をより全体的に理解しようとする道がここで初めて開けたのである。一人の召命をうけた指導者のカリスマを通して時々働くのではなく、もっと継続して、もっと包括的に、即ち全ての世俗的事柄に隠されて全ての生活領域に働きかけているのである。そしてこの歩みがこの歴史著作において急激に確実になされたということの中に、この著作の本質的な神学的な意義が存在している。この著作によって歴史における神の業の本質に関する一つの全く新しい考え方が始まるのである。(44)

注

(1) E. Schwartz, Ges. Schriften I S. 54.

(2) 歴史的に考えられなかった例として、ヘロドトス(II, 142)の証言をあげることができよう。彼によれば、エジプトの祭司たちが、彼に非常に長い時代にわたるエジプト史について短く説明したのであるが、さらに「この時期中(三四一代にわたる期間!)太陽が四度その正常の位置を外れて昇ったという。二度はいつも太陽の沈んでいる方角から昇り、二度はいつも昇っている方角に沈んだのである。しかもこの時期を通じて、エジプトでは土地の収穫物、河の生産物、病気、死者の数に関しては何の変化もなかったという」。

(3) H. Schneider, Die Kulturleistungen der Menschheit I S. 138f.

(4) E. Schwartz a. a. O. S. 56.

(5) Hessen, Platonismus und Prophetismus S. 19 [2. Aufl., 1955].

(6) 士師記一・一九以下のリスト参照。

(7) Auerbach, Wüste und Gelobtes Land I, 42f.

(8) しかし現在の形では本来の原因譚としての目的が失われてしまっている点は記憶さるべきであろう。新しい神学的な文脈の中に秩序づけられることによって、その内的な意味が全く異なるものとなってしまったのである。

(9) Lud. Köhler, Theologie des Alten Testaments, S. 77 [3. Aufl. 1953, S. 78].

(10) Regenbogen, Thukydides als politischer Denker, Human. Gymnasium 1933, 17.

(11) Regenbogen a. a. O. S. 21f.

(12) H. Greßmann, Die Schriften des A. T. I. 2. Bd. [2. Aufl. 1922] S. 203.

(13) Greßmann a. a. O. S. 204.

(14) 出エジプト記一三・一七、イザヤ書二・一〇、歴代志下二〇章参照。

(15) Greßmann a. a. O. S. 208.

(16) L. Rost, Die Überlieferung von der Thronnachfolge Davids. 1926.

(17) 神の箱物語は現在では、サムエル記上四章、五章、六章―七・一、サムエル記下六・一―二〇ａの個個の部分に分断されている。

(18) サムエル記下七章の文学的分析は非常に困難である。しかし次の二点は確かである。一、この部分はかつては独立していた物語であり、この歴史家以前に既に存在していたものであって、その著作の出発点にくり入れられたのである。二、もちろんそれは今日の編集された形とは異なって、おそらく一一節bと一六節に見られるより古い層に属していたものであったろう。Rost, Thronnachfolge S. 47 ff.

(19) Rost a. a. O. S. 98.

(20) Caspari, Die Samuelisbücher S. 524.「叙述者の機能は全くすばらしい。彼は最初の部分でも第二の部分でも聞き手を息もつかせぬ緊張へとつれて行く術を心得ている。取り扱いのむずかしい問題は巧みに書きかえられて、それが読者の障害になることもなく全然気付かないほどなのである。よこしまな考えが闇の中を忍び歩くそのしめやかさがウリヤへの手紙にもヨアブの報告にも独特な仕方で示されている」。Greßmann a. a. O. S. 155.

(21) Rost a. a. O. S. 79.

(22) K. Budde, Die Bücher Samuel S. 265.

(23) Budde a. a. O. S. 272.

(24) Greßmann a. a. O. S. 177, Caspari a. a. O. S. 579.

(25) アヒトペルはその上バテシバの祖父であった。サムエル記下一一・三、二三・三四。

(26) 古代エジプトにも同じような先例がある。「王の行なう最初の行為の一つは習慣として彼の先任者のハーレムを支配することであった。王の妃たちを手中に収めるためであった」。Wiedemann, Das alte Ägypten S. 60.

(27) この断続的な政治的二元主義については A. Alt, Die Staatenbildung der Israeliten in Palästina, 1930 [Kl. Schr. II] 参照。

(28) Rost a. a. O. S. 86 ff. ここではまた列王紀上一章がそれ自体独立した存在ではなかったことが証明されている。事実、我々がとりあつかっている著作を少しでも読んだものなら、列王紀上一章以下もまた同じ著者の手になることが間違いなく理解されるのであろう。

(29) Rost a. a. O. S. 123.

(30) H. Schmidt, Die Geschichtsschreibung im AT. (Religionsgeschichtliche Volksbücher II. 16. Heft, [1911]). S. 20.

(31) E. Schwartz, Ges. Schriften I S. 56.

（32） サムエル記上一一・五。

（33） A. Alt a. a. O. S. 47. [Kl. Schr. II S. 38]

（34） このような変化を必然的とした内的根拠については Alt a. a. O. S. 54ff., 74ff. [bzw. S. 44ff., 61ff.] を見よ。

（35） この物語に登場してくる人物の中に著者を見出そうとする努力は全くの推測の域を出ない。Duhm 以来ダビデの忠臣の一人祭司エビアタル（最近また Auerbach a. a. O. S. 34）が考えられている。サムエル記上二二・二二―二三、二三・六、三〇・七、サムエル記下一五・二四、一七・一五、一九・一二、列王紀上一・七、一九、二五、二・二二、二六以下、しかしおそらく我々の全く知らない宮廷付の人であったにちがいない。

（36） A. Weiser, Werden und Wesen des AT [BZAW 66, 1936] S. 213.

（37） H. Schmidt a. a. O. S. 21.

（38） J. Hempel, Das Ethos des Alten Testaments [BZAW 67, 1938] S. 51―もしサムエル記下一二・一一―一二がナタンの威嚇の言葉に対する後代の付加であるとしても、我々の結論は決して変わることはない。なぜなら補筆者は原文の精神を維持しているからである。彼はそれを預言者の預言として定式化することによって歴史の中に隠された思想を強調しているのである。

（39） E. Meyer, Geschichte des Altertums II, 2^2 [3. Aufl., 1953].「かくしてユダヤ王国の最盛期が実際的な歴史記述を産み出したのである。古代オリエントのいかなる他の文化民族もなしえなかったのであり、ギリシアですらその最盛期の五世紀において初めて達成することができたのであるが、しかしすぐに衰微してしまった。それに対しイスラエル民族はやっと文明化したばかりだったのである。これを可能にした要素は、容易に学べる文字を含めて、ギリシア人同様、先住民族から学んだものであったが、それだけに彼ら自身の行なった業績は驚くべきものである。我々は全ての歴史におけると同様彼らの生来の才能のもつ不思議な謎の前に立っているのである。歴史記述を生み出したことによって、イスラエル文明は初めて自立したのであり、一、二世紀後の本質的にはより豊富により多様にではあるがギリシアの土壌において完成された発展に遜色のないものである」。「このような全く世俗的なテキストがユダヤ教やキリスト教によって聖書とされたという世界史におけるイロニーがまさに好奇な方法ではあるが、ここに示されているのである」。

(40) Regenbogen a. a. O. S. 17 f.

(41) Regenbogen a. a. O. S. 21 f.

(42) 「明らかにこの語り手は、ちょうどこの聖所において、この祈りが成就され始めたということの中に、神の手がダビデのために働いているというしるしを見たのである」。H. Schmidt a. a. O. S. 24.

(43) E. Schwartz a. a. O. S. 41 f.

(44) ソロモン時代は外交的な点からいえば非常に安定した時代であった。政策的なもしくは国家政治的な性質の急を要する問題はおこらなかったのである。おそらく我々は、このことと、この歴史著作の判然とした欠点、即ちこの著作においては、政治的な矛盾葛藤が専ら個人的家族的な葛藤に根拠づけられている点とを結びつけて考えることができるであろう。ここで外的誘因とさらに深い原因とをより明確にすべきであったかもしれない。しかしソロモン時代は、政治的というより、人文的な発展の時代であった。もちろん国家組織自体に潜む欠陥弱点を認識するに必要な、事件との間隔が欠け、事件に密着しすぎていたことを考慮する要がある。事件の近くにいる観察にとっては、常に個人的事件の方が、客観的な事件よりも身近に迫ってくるものである。

訳者あとがき

旧約研究においてヴェルハウゼン以来、本文批評、資料分析が主要方法として用いられてきた。その有効性は今もなお失われてはいない。しかしグンケル以後ここに新たな研究方法が提唱され、つけ加えられることとなった。様式史的方法がそれである。今日ではその両者の一方を欠いての旧約研究はありえないといってよい。

ある本文、一つの文学単元の用語、文体、思想等を考察分析することによって、それがいかなる資料文書に属するのか、そしてそれがその資料文書とともにいつ文学として構成されるようになったのかを問うのが資料批評的分析的方法である。この方法の決定的な結論として、アイスフェルト『六書対観』（Hexateuchsynopse 1922）をあげることができよう。この書においては批評的分析の結果を一つの対観にまとめようとする試みがなされ、一節一節を克明に分析している。しかしこの労作を見ていると、資料批評的分析的方法が全く極限に達してしまったのではないかという疑問がでてくる。このように一文一語にいたるまで細分寸断することによってはたして文学形成の生々とした過程を解明し理解することができるだろうか。全く別の面から新しい解明の試みがなされる必要はないのか。このような五書もしくは六書研究に新しい転機をもたらしたのが様式史的方法である。

ある文学単元の歴史や類型・様式的な特徴を問い、それが一つの資料文書に組み入れられる以前にもそれ自体一つの長い歴史をもち、ある特定の生活の座（Sitz im Leben）をもっていたにちがいないとしてそれらを追求して行くのが様式史的方法である。その創始者としてグンケルの名があげられる。そして文学類型の総合的な考察からその背後の生活の座に迫ろうとする彼の問題提起を修正し、さらに包括的に六書に向かっていったのがフォン・ラートの功績なのである。

グンケルの場合、より小さな文学単元に研究の眼が向けられていたのであるが、ラートは様式史的な問題提起を大きな文学構成にまで適用したのである。即ち多種多様にわたる文学単元がヤハウィスト、エロヒストによって一つの資料文書として構成されるとき、それらは自由な文学形態をとって配列されているのではなくして、一つの図式に従っていること、特に歴史的信仰告白（クレドー）と呼ばれる申命記二六章五―九節とか、ヨシュア記二四章二―一三節にある祭儀的な図式によっているのだという点を証明しようとしたのである。ヤハウィスト、エロヒストだけに限らず、むしろ六書全体はあの古代の祭儀的な信仰告白が中心となって巨大なまでに構成されていったものなのである。そしてそのような六書の発生と成長とを規定する生きた伝承過程を追求したところに従来の研究方法に対する大きな進歩が存在するのである。しかし彼はグンケルと異なって、様式史的・伝承史的作業をイスラエル以前の時代の原型にまでさかのぼって拡大しようとはせず、主要信仰箇条のどれが現在の六書を規定したのか、その間の歴史的進展を追求するのである。したがってラートの関心は最古の口碑や伝説の生活の座にではなく、六書を導く信仰箇条の生活の座にある。即ち全体の様式的問題提起が懐古的・文学的領域（グンケル）から信仰箇条とその伝承史に重点が置かれることになったのである。そしてそれとの関連においてヤハウィストの仕事が新しく見直されているのである。その詳細についてここで述べる必要はないであろう。

ところでラートとは独自に伝承史的方法を追求していったM・ノートの業績について考慮しておくのがよいであろう。彼もまた「特定の祭儀に根源をもち、かつ信仰告白的に唱えられる様式をもつ信仰箇条、それが五書という大樹がそこから生え繁る幹であった」という命題から出発している（『五書伝承史』、一九四八年、四八頁）。彼の場合しかしながらその形成過程は非常に複雑なものとして描かれている。彼によれば、五書という広範囲に渉りかつ複雑なる文学として現前する大きな伝承の塊が、現在のような形をとったのは、長い過程を経ている。最初は疑いもなく口伝であった伝承は、漸次記録され、後に文学作品にまとめられたのである。その作品が、今度は、いわゆる編集者の手によって五書へと結合されたのである。この過程の全体を追求したのが、彼の『五書伝承史』の課題であるけれども、より後の純粋に文学的となった過程よりも、全体の生成に決定的な影響を与えた最初の段階の方が、この書の主たる関心である。しかし彼の五書の文学以前の歴史についての研究は正確な資料分析の基礎の上に立っている。彼はヤハウィストとエロヒストとはその共通性にもかかわらず文学的には相互に依存してはいないとして、その両者に共通し、その両者の基準となった基礎資料（G）を推定する。その主題をなす範囲は族長物語（アブラハム、イサク、ヤコブ、ヨセフ）、エジプトでの労役、エジプト脱出、パレスチナ占拠である。しかし彼は特に既にGにおいて相互に結びついていた個々の伝承を分離しようとする。即ち重要な点は伝承の主要主題とそれに付加されたものとの区別である。付加された部分は、たとえそれが古い伝承を含むとはいえ、ある主要主題と他の主要主題との間をうめる橋渡しでしかないからである。そしてその主要主題とは「エジプト脱出」「パレスチナ農耕地への侵入」「族長への約束」「荒野での導き」「シナイ啓示」である（それに対してエジプトでの疫病、バラム物語、民のつぶやき、土地取得の際の挿話等の諸伝承は補充なのである）。そしてこれらの伝承のそれぞれについて可能な限りその由来が規定され、最初の歴史的担い手が問われるのである。

ところでGは元来は独立していた個々の伝承体が合併されて成立したのであるが、それらはいったいどのようにして結合されたのであるか、いかなる要因が諸伝承の結合を規定したのか。Gに含まれる多くの口碑・伝説等は古来、聖所・祭儀と結びついていたのであり（グンケルは特にこれらにまつわる原因譚に注目した）、そこにおいてのみ機能を果たしていたのであるが、現在はGの中に、そういった機能を離れた形で集成され、文学として集成されている。そうなった理由は何か。おそらくそれらの伝説と聖所もしくは祭儀との結びつきを弛める力が働いたにちがいないのであり、しかもそれは非常に神学的な要請であったと思われる。そこで個々の伝承は精神的な意味に解され、そしてこれらの伝承を組み込んでいった構成が、逆にまたそれぞれに新しい意味を与えたのである。それは「イスラエル」の形成、即ち十二部族連合の成立による要請であった。したがって彼によれば前述した主要主題の結合した時期は早くて諸部族が「イスラエル」となった時、即ち部族連合の成立、土地占拠の時、遅くて国家建設の時であるという。それはもちろん文学以前の段階である。

以上述べたノートの研究はラートのそれとは次の点で異なる。ラートがただ二つの主要断片だけで提示する伝承過程を五書の些細な点にまで追求し、ラートが一つにまとめたものを時に「副主題」に分析し、個々の伝承細胞の相違を徹底的に追求する。またラートが六書の決定的な編集者・神学者としてのヤハウィストを重要視するのに対し、ノートは五書形成への歩みは既に文学以前の段階に始まっていたとしている。即ち伝承史の初期において既にイスラエル諸部族の信仰にとって本質的な主題が列挙されており、それらはある特定の祭儀において唱えられ、そして多少とも様式化された「信仰告白」の内容をなしていたのであり（その Sitz として彼はアンフィクチオニーを想定するのであるが）、そして漸次無数の個々の伝承が付け加わるにしたがって豊富に多様化していったと考えるのである。

ノートとラートの研究はいずれも五書ないしは六書研究史においてほとんど画期的な学問的業績であったと同時に、その様式史的研究は旧約の全歴史像に大きな変化をもたらしたのである。久しく歴史的確証として見られていた本文は突如として伝承史の長い過程の中の一要素として編み込まれてしまい、もはや固定されない、流動的なものになってしまったのである。その意味では両者は全く新しい次元を開いたものといわねばならない。特にラートの場合、彼の『旧約神学』の叙述が救済史伝承を中心としてなされていることを考え合わせれば十分であろう。

さて最後に様式史的研究そのものについて付言したい。それは(a)まず文学単元を限定すること、即ち物語ならば現在それが置かれている諸関連の中から独立した単元を取り出す。(b) その取り出した文学単元の類型（Gattung）を決定する。(c) その類型自体の歴史（Gattungsgeschichte）、例えば十誡という形態がいかなる起源をもち、いかなる変遷を経てきたかを考察する。(d) その文学単元の生活の座を検討する。その際生活の座の変遷に関する考察も必要であろう。例えば十誡の生活の座は祭儀、会堂、カテキズム、礼拝のごとく変遷しているからである。(e) ところで類型にもられた内容がいかに伝達されてきたかという面を追求するのが伝承史(Überlieferungsgeschichte)である。ある内容のものが常に同一の類型によって伝えられるとは限らず、異なった他の類型によって伝達されることも当然ありうるし、したがってまた生活の座の変遷もあろう。例えば出エジプトの出来事は、クレドー、物語、預言、讃美というそれぞれの類型によって伝達されてきたからである。しかしまたそれと同時に諸類型を通じて伝達されてきた内容の変遷を考察しなくてはならない。(f) 最後に一つの文学単元が他の単元と結びついた時の編集の問題を取り扱うのである。

以上のようにグンケル以後進展を見た「様式史」(Formgeschichte)は現今では類型史(Gattungsgeschichte)、伝承史(Überlieferungsgeschichte)、編集史(Redaktionsgeschichte)を含む広い意味で用いられているのである。

この訳書は Gerhard von Rad の論文集 Gesammelte Studien zum Alten Testament (Theologische Bücherei 8, Chr. Kaiser Verlag, München, 1958) に含まれる一五篇の論文から巻頭の論

文 Das formgeschichtliche Problem des Hexateuch とそれに関連する論文三篇を抜粋して訳出したものである。それらの原題は次の通りである。

Verheißenes Land und Jahwes Land im Hexateuch/Das theologische Problem des alttestamentlichen Schöpfungsglaubens/Der Anfang der Geschichtsschreibung im alten Israel

聖書からの引用は、原著者の独自の理解が示されている箇所が少なくなく、日本聖書協会訳を参考にしながら、全てドイツ語から重訳した。

翻訳中 E.W.T. Dicken による英訳 The Problem of the Hexateuch, Oliver & Boyd, Edinburgh and London, 1966 が出版されたが、参照する機会がほとんどなかった。なおこの英訳には原書にない論文 Aspekte alttestamentlichen Weltverständnisses (Some Aspects of the Old Testament Worldview) が含まれていて全部で一六編になっている。

なお、この訳書の書名はその内容から『旧約聖書の様式史的研究』とした。

最後に、本訳書の刊行を奨めて下さった青山学院大学の木田献一氏と、ご協力くださった教団出版局、とりわけ滝口明男氏にお礼を申し上げたい。

一九六九年七月

荒　井　章　三

ヨシュア記

出エジプト記

レビ記

旧約聖書引用索引

＊ 小数字はその頁の注番号を示す

G・フォン・ラート
旧約聖書の様式史的研究

1969年10月20日　初版発行
1986年4月15日　4版発行

訳 者　荒　井　章　三

発行所　日本基督教団出版局
〒160　東京都新宿区西早稲田2丁目3の18
振替 東京8-145610　電話 (204) 0421 (代)

印刷　三秀舎　カバー印刷　伊坂美術印刷　製本　市村製本所

本書は前記奥付に表示した書籍を底本とする復刻版です。

荒井 章三（あらい しょうぞう）

1936年　福井市に生まれる。
1958年　京都大学文学部哲学科卒業。
1960年　立教大学文学研究科組織神学専攻、修士課程修了。
1963年　同博士課程修了。
1964―65年　ハンブルク大学にて研修。
1976―　神戸松蔭女子学院大学教授
1978―79年　ハイデルベルク大学にて研修。
2000―04年　神戸松蔭女子学院大学学長。
現在　松蔭女子学院院長。
訳書　R. レントルフ『神の歴史』
H. リングレン『イスラエル宗教史』
G. v. ラート『旧約聖書神学Ｉ』
『旧約聖書神学Ⅱ』

G. フォン・ラート
旧約聖書の様式史的研究（オンデマンド版）

2006年 2月10日　発行

訳者　荒井章三
発行所　日本キリスト教団出版局
169-0051　東京都新宿区西早稲田２丁目３の18
電話・営業03（3204）0422，編集03（3204）0424
振替 00180-0-145610
印刷・製本　株式会社　デジタル パブリッシング サービス
162-0812　東京都新宿区五軒町11-13
電話03（5225）6061，FAX03（3266）9639

ISBN4-8184-5041-3　C3016　日キ版
Printed in Japan